P9-AEV-585

PREGUNTAS SORPRENDENTES, *RESPUESTAS INCREÍBLES*

PREGUNTAS SORPRENDENTES, *RESPUESTAS INCREÍBLES*

A. J. Armstrong

Cubierta:
Pedro E. Delgado

Ilustraciones interiores:
Vanessa Bergin

Sexta edición

Rialp Junior

Título original: *Amazing questions, Incredible answers*
Traducción de José Luis Haering

Ediciones Rialp, S. A.
Alcalá, 290
28027 MADRID
Teléfono: 326 05 04

1.ª Edición: Junio 1993
2.ª Edición: Diciembre 1993
3.ª Edición: Marzo 1994
4.ª Edición: Noviembre 1994
5.ª Edición: Marzo 1995
6.ª Edición: Septiembre 1996

ISBN: 84-321-2996-8
Depósito Legal: M-27.489-1996
Fotocomposición: Nuevo Texto
Fotomecánica: Nuevo Punto
Imprime: Printing 10, Móstoles, (Madrid)

Presentación

¿Por qué a los pantalones vaqueros se les llama también *jeans*? ¿Cuál es la canción que más se canta? ¿Por qué Cleopatra NO era egipcia? ¿Cómo surgió la expresión OK? ¿Cuál es el juego de pelota más rápido? ¿Por qué un día en Mercurio dura tanto como medio año de la Tierra? ¿Pueden oír las plantas? ¿Por qué la paloma con la rama de olivo es el símbolo de la paz?

Ésta es sólo una pequeña muestra de las más de ciento cincuenta preguntas (con sus correspondientes respuestas) que contiene este libro. Muchas de ellas se refieren a temas cotidianos en los que pocas veces nos paramos a pensar: las cosas que comemos, la ropa que nos ponemos, el lado de la calzada por el que conducimos…

Otras penetran en los misterios del mundo alucinante en el que vivimos, buscando respuestas para hechos sorprendentes, novedosos o inesperados. Hay preguntas que te transportan al mundo exterior y otras que te sumergen en las profundidades del subsuelo.

Peces que producen electricidad, plantas que crecen casi un metro por día o un árbol que tenía ya más de 2.500 años cuando nació Jesucristo, son simplemente algunos de los fantásticos descubrimientos sobre el mundo natural que hallarás aquí.

Por eso, si alguna vez te has preguntado por qué las cebras tienen franjas blancas y negras, por qué los perritos calientes se llaman así o por qué está inclinada la Torre de Pisa, sigue leyendo. Las respuestas a ésas y otras muchas preguntas se encuentran aquí.

Y si las preguntas te parecen sorprendentes, ¡espera a que leas las respuestas!

¿Pueden oír las plantas?

La idea suena a locura, pero los experimentos científicos han demostrado que algunas plantas se comportan de manera diferente cuando se las expone a distintos sonidos, y entre ellos, muy especialmente a la música.

Los experimentos actuales que se han realizado en la India parecen confirmar que a las plantas les gusta la música. En los primeros años de la década de los 60, un científico que trabajaba en una universidad cercana a Madrás llevó a cabo un experimento verdaderamente sorprendente. Descubrió que el sonido del violín o de la música hindú ayudaba a ciertas plantas a crecer más y a hacerse más fuertes que otras que no escuchaban música.

Así pues, probó su experimento en arrozales. Les tocó música hindú y a los arrozales les encantó; crecieron fuertes y sanos, y dieron enormes cantidades de arroz: la cosecha aumentó entre un 25 y un 60 por ciento.

Unos años más tarde, otra investigadora que trabajaba en Denver, en los Estados Unidos, dio un paso más adelante. Experimentó con distintos tipos de música, con el fin de descubrir cuál preferían sus plantas. Resultó que eran de lo más *conservadoras:* la música rock, especialmente la más estruendosa, les hacía crecer tanto como podían hacia el lado opuesto del que procedía la música. Además, consumían mucha más agua que aquellas a las que se les tocaba otro tipo de música.

Por otra parte, las plantas adoraban la música clásica, y no se cansaban de escuchar a Beethoven, Brahms, Schubert y Haydn.

Algunas florecieron y otras se inclinaron, hasta casi caerse, hacia el lugar donde estaban los altavoces.

Los experimentos continuaron y Bach resultó ser un éxito absoluto. Igual ocurrió con la música jazz; pero, sin duda alguna, la mejor acogida fue la música hindú. Cuando la investigadora puso este tipo de música, las plantas llegaron a inclinarse en ángulos de 60° hacia los altavoces. Puede que las plantas no sean capaces de oír como nosotros, pero tienen unos gustos muy claros en lo que respecta a la música.

¿Cuál es el lugar más profundo de la Tierra?

Solamente un puñado de personas han visto el lugar más profundo de la tierra: está situado en aguas negras como el carbón, en el fondo del océano Pacífico.

Bajo los océanos se encuentran cumbres montañosas y hondos valles que son mucho más altos y profundos que cualquier otro sobre tierra firme. Las mediciones de la fosa de las Marianas, en el océano Pacífico, han dado como resultado que la profundidad de esta gigantesca fosa es de 11 kilómetros.

Es tan profunda que un objeto tirado en la superficie tardaría más de una hora en llegar hasta el fondo. Incluso si fuera posible bajar en un ascensor rápido hasta el final de la fosa, el viaje duraría media hora.

Y si el Everest, la montaña más alta del mundo, estuviera situada en la misma fosa, su cima quedaría a más de 2 kilómetros de profundidad bajo las olas.

¿Cómo pueden los caballos dormir de pie sin caerse?

La mayor parte de nosotros necesitamos dormir una media de ocho horas todas las noches. Los caballos se las arreglan con la mitad y ¡son capaces de quedarse dormidos de pie, sin caerse!

En campo abierto, los caballos pueden ser presa de lobos y de otros animales. Tumbados son mucho más vulnerables que de pie. Por eso, durante millones de años sus cuerpos han desarrollado un sistema para permanecer erguidos incluso cuando están dormidos.

Aunque la mayor parte de los caballos ya no viven en campo abierto, todavía son capaces de quedarse dormidos de la misma manera que lo hicieran sus antepasados. Para ello cuentan con un entramado de ligamentos —los tejidos que mantienen unidos los músculos— único entre las especies, y que funciona como un armazón que traba todo el cuerpo, ajustando las articulaciones en una posición determinada. De este modo, el caballo puede permanecer de pie sin realizar un esfuerzo consciente de los músculos mientras duerme.

Es una lástima que los humanos no hayamos adquirido esta habilidad. ¡Podría ser muy útil cuando hacemos largas colas o viajamos en trenes abarrotados!

¿Por qué Cleopatra NO era egipcia?

Cleopatra, reina de Egipto desde el 51 hasta el 31 antes de Cristo, fue una de las grandes figuras históricas del mundo clásico. El país que gobernó es poseedor de una de las más antiguas civilizaciones de la tierra, muchos de cuyos monumentos, como las pirámides, están todavía en pie, después de 4.500 años. Además, dos de las siete maravillas del mundo fueron egipcias.

A pesar de ese grandioso pasado, Cleopatra no tenía nada de egipcia. Era griega. Resultó ser la última de una dinastía de gobernantes griegos que había reinado en Egipto desde el año 323 antes de nuestra era.

¿Es posible alcanzar 225 kilómetros por hora en bicicleta?

¿Imposible? No, ya se ha logrado. El secreto está en reducir la resistencia del viento, y para hacerlo, los ciclistas marchan detrás de un coche u otro vehículo que lleva una especie de gran escudo protector contra el viento. De este modo, pueden alcanzar velocidades de infarto. En 1973, en California, un ciclista pedaleó a toda potencia durante algo más de un kilómetro, protegido por un coche con pantalla, y alcanzó una velocidad de 226,1 kilómetros por hora.

¿Por qué se llaman *jeans* los pantalones vaqueros?

Los primeros pantalones vaqueros no hicieron su aparición hasta la mitad del siglo pasado. Sin embargo, el tejido duro y resistente de algodón con el que se fabrican llevaba en circulación desde mucho antes, aunque no se utilizaba para pantalones. Imagínate a Napoleón con unos pantalones vaqueros, o a Mozart.

En Inglaterra a este tejido se le llamaba 'fustán genovés', ya que se fabricó por primera vez en el puerto de Génova.

Llegó a Inglaterra desde Francia, donde la ciudad de Génova era Gênes. Esta palabra se convirtió en 'gene' y 'gene' en 'jene'. Después 'jene' se convirtió en 'jean'.

Cuando Levi Strauss empezó a fabricar pantalones de trabajo con este tejido, alrededor de 1850, lógicamente les llamó *jeans*.

¿Por qué la capa de ozono es tan importante?

Hasta hace unos pocos años muchos de nosotros nunca habíamos oído hablar de la capa de ozono. Hoy muchas personas están preocupadas por lo que podría ocurrir si dicha capa sigue siendo destruida sin parar.

El ozono es un gas, y una capa fina de este gas está a gran distancia de la superficie de la Tierra; es la llamada comúnmente capa de ozono. También hay una ínfima cantidad de ozono en el aire que respiramos: menos de un 1 por millón. Y es bueno que así sea, porque el ozono, aquí en la Tierra, es dañino, ya que es venenoso.

En la zona alta de la atmósfera ocurre justo lo contrario: allí forma una capa de protección contra los rayos ultravioleta más fuertes procedentes del Sol, de modo similar a una crema solar de alto factor de protección: evita que los rayos dañinos lleguen hasta nosotros. Por eso se puede entender su importancia; sin el tipo de escudo que esta capa proporciona, mucha gente sufriría enfermedades originadas por los rayos ultravioleta del sol, que pueden causar cáncer de piel y otros males.

También se puede entender por qué existe una preocupación tan grande sobre la destrucción de la capa de ozono. Los científicos han descubierto que los gases que estamos produciendo en la Tierra son la causa del trastorno.

Los principales culpables son los gases que se utilizan en los aerosoles y en las instalaciones de refrigeración. A estos gases se les llama CFC en forma abreviada.

En 1987 se descubrió sobre la Antártida un agujero en la capa de ozono tan grande como la superficie de América. Ésta es la razón por la que la gente de todo el mundo está comenzando a preocuparse por la repercusión que su destrucción puede tener en el futuro de nuestro planeta.

¿Cuánto ha durado la Historia?

La Historia, es decir, todo lo que ha ocurrido en el pasado y ha quedado consignado de alguna manera, es increíblemente reciente cuando se compara con la edad de la Tierra. Es tan reciente que una de las maneras más sencillas de entenderlo es imaginarse la edad de la Tierra —alrededor de 4.700 millones de años— como si fuera un solo año, ¿de acuerdo?

En números redondos, un mes sería igual a poco más de 390 millones de años. Un día equivaldría a 13 millones de años, y una hora a unos 500.000 años.

Bien. Imagina ahora que estamos en Noche Vieja de ese año que equivale a la edad de la Tierra. Imagina que el reloj ha comenzado a dar las doce campanadas para celebrar el comienzo de un nuevo año. ¿Qué tal transcurrió el año viejo?

Dicho con una palabra: despacio. Y dicho con dos palabras: ¡muy despacio! En el año pasado (la edad de la tierra) no hubo vida hasta bien entrado mayo. Los primeros mamíferos no aparecieron hasta casi Navidad. El primer hombre no llegó hasta hace unas seis horas. En la última hora ha habido más de cuatro edades glaciares, la última de las cuales terminó hace justo noventa segundos. Nuestros antepasados de la Prehistoria, los que pintaban las paredes de sus cuevas, se pusieron a trabajar justo un minuto antes de medianoche.

Esto no deja mucho sitio para la Historia, no, señor. Tenemos que incluir muchas cosas desde el instante en que el reloj empezó a dar las campanadas. Pero sólo para que te hagas una idea, Cristóbal Colón navegó hasta América durante la octava campanada, y la exploración del espacio, las televisiones, los vídeos, los microondas y la cadena de restaurantes McDonald's fueron inventados hace una décima de segundo.

¿Cuál es la canción que más se canta?

Si piensas que esa canción debe cantarse cientos, probablemente miles, de veces cada día del año, te darás cuenta de que no es difícil adivinar su título. Sí, es *Cumpleaños Feliz.* Esta canción se imprimió por primera vez en 1935 y en menos de sesenta años se ha convertido en la melodía que con más frecuencia se canta en todo el mundo.

¿Por qué está muerto el mar Muerto?

Estrictamente hablando, el mar Muerto no es un mar, es el lago más bajo del mundo. El agua desciende hasta allí desde el río Jordán y una gran cantidad de pequeños riachuelos, pero de él no sale ningún río o riachuelo. Por tanto, el mar Muerto sólo pierde agua por evaporación. Cuando el agua de la superficie se evapora por la acción del ardiente sol, deja tras de sí sales y minerales, dando lugar de esta manera a la formación de un lago con

un contenido de sal del 28 por ciento, ¡ocho veces más salado que el agua típica del mar!

Consecuencia de esta elevada concentración salina es que el agua está tan densa que resulta imposible hundirse en ella; de hecho uno puede sentarse en la superficie. En el mar Muerto no se puede practicar el submarinismo, pero sí la natación, y de un modo maravilloso.

Sin embargo, toda esa cantidad de sal produce también una ausencia de plantas y peces, que no pueden vivir allí. De aquí surge el nombre de mar Muerto, porque no contiene vida alguna.

¿Cuál es el juego de pelota más rápido?

En 1931, la estrella americana del tenis Big Bill Tilden lanzó en su servicio una pelota a 263 kilómetros por hora. El jugador de cricket australiano Jeff Thomson boleó por encima de los 160 kilómetros por hora en 1975. Muchas pelotas de tenis de mesa han alcanzado velocidades de 170 kilómetros por hora.

Sin embargo, ninguna de las anteriores cifras supera las velocidades que alcanzan las pelotas de cesta punta, una modalidad de la pelota vasca. Este juego se originó en Europa en la Edad Media, y es similar al squash, sólo que mucho más rápido.

Los jugadores de cesta punta utilizan una canasta larga y curvada hecha de mimbre, que va atada a la mano y con la cual arrojan la pelota tan fuerte como pueden contra las paredes del recinto donde juegan. En 1979 se computó un tiro con una velocidad de 302 kilómetros por hora. Pero todavía resulta más asombroso que otro jugador tuviera que intentar devolverlo.

¿Por qué está inclinada la Torre de Pisa?

El caso es que no fue intencionado, pero resulta que una de las grandes meteduras de pata de la arquitectura es una de las mayores atracciones turísticas del mundo. La causa está en los basamentos de la torre, o más bien, en la falta de basamentos. La torre tiene 55 metros de altura, pero sus cimientos sólo tienen 3 de profundidad. Inmediatamente después de que se empezara a construir, el suelo empezó a ceder. Eso ocurrió en 1173, y desde entonces el suelo ha estado cediendo lentamente.

Cuando se terminó, las plantas superiores se habían construido de manera distinta a los primeros planos, con el fin de hacer contrapeso a la incipiente inclinación.

Esto sucedió en los últimos años del siglo XIV. Los cambios debieron tener efecto, porque en los últimos seiscientos años la famosa Torre de Pisa ha estado inclinada, pero sin estrellarse contra el suelo.

La razón por la que no lo ha hecho todavía es que no ha sobrepasado su centro de gravedad, pero de vez en cuando se han desprendido algunos trocitos de las paredes y ventanas, y recientemente ha sido cerrada al público.

En este momento, los historiadores y los técnicos de construcción se están rascando las cabezas, preguntándose si serán capaces de evitar una mayor inclinación y conservar la torre intacta otros ochocientos años o más.

¿Cuál es el único número que tiene tantas letras como indica su cifra?

Es un hecho sorprendente cuando lo meditas, pero de todos los números que existen, sólo uno cumple con la premisa de la pregunta. ¿Ya lo has adivinado? La respuesta es el cinco.

¿Por qué los *compact disc* producen un sonido tan perfecto?

Estos aparatos son impresionantes. Cuando escuchas uno, ningún otro sonido grabado te parece mejor. Los discos normales se pueden rayar o ensuciarse, las cintas pueden romperse; pero el sonido de un compact está a salvo. La superficie del disco no se raya y la grabación permanece totalmente nítida año tras año.

El secreto del sistema es un ordenador especialmente programado para reproducir el sonido con más fidelidad que cualquier otro aparato reproductor. El disco de un compact también está basado en un sistema informático. La grabación que alberga está realizada mediante códigos de ordenador, por lo que se la llama grabación digital. Dentro del compact un rayo láser lee estos códigos y los transporta al ordenador.

El ordenador a su vez convierte nuevamente los códigos en sonidos, unos sonidos puros y limpios, sin roce o imperfección. No hay ninguna aguja o cabeza magnética que cause el más mínimo desperfecto. Tampoco hay apenas piezas móviles, por lo que tu disco compact sonará igual la milésima vez que lo oigas que la primera.

¿Qué ser vivo es capaz de saltar 130 veces su propia altura?

Imagina que fueras capaz de saltar por encima de la basílica de San Pedro en Roma. Si nosotros pudiéramos hacerlo, significaría que daríamos un salto de 100 metros.

Parece imposible, pero en comparación con el tamaño de su cuerpo, eso es precisamente lo que hace la pulga. El pequeño insecto puede saltar 20 centímetros de altura, es decir, 130 veces su altura o 60 veces su longitud.

¿Por qué la señal de emergencia es S.O.S?

Desde 1908 el S.O.S ha sido en todo el mundo una señal de emergencia ante una desgracia importante.

Esas tres letras fueron elegidas por las organizaciones de radiotelegrafía implicadas porque eran muy fáciles de transmitir y reconocer en el código Morse. Enviar un S.O.S es cuestión sencillamente de emitir tres puntos, tres rayas y tres puntos.

¿Qué apareció primero, el tornillo o el destornillador?

El tornillo, ¿no?... Pues no. Fue justo al contrario.

Los tornillos, tal como los conocemos, no se extendieron hasta hace unos 150 años, y gracias al invento de una máquina que los fabricaba muy baratos mediante un método nuevo.

Hasta ese momento los pocos tornillos de madera que se utilizaban no tenían punta. Sin embargo, los carpinteros llevaban cientos de años clavando clavos dentro de la madera. En el siglo XVI se comprobó que si se giraba un poco un clavo, quedaba más asentado.

Luego, la única manera de sacar el clavo era hacer un corte en la cabeza para girarlo en el otro sentido. Para ambos casos se utilizaba una herramienta con una cuchilla roma y corta. Tenía una pinta un tanto basta, pero era un destornillador.

¿Por qué una rama de olivo es el símbolo de la paz?

La rama de olivo lleva miles de años siendo un símbolo importante. Las novias de la antigua Grecia las llevaban en forma de guirnaldas al casarse, de la misma manera que en nuestros días

llevan ramos de flores. Los ganadores de los Juegos Olímpicos eran recompensados con una corona tejida de ramas de olivo. Cuenta la leyenda que la diosa que dio el nombre de Atenas a la ciudad griega le regaló una rama de olivo. Desde entonces, nunca ha dejado de ser un símbolo de paz y prosperidad.

Otros pueblos de la era antigua consideraron que las ramas de olivo tenían una especial importancia. Durante el Diluvio Universal, la primera señal de vida, cuando las aguas descendieron, fue una rama de olivo. Noé soltó una paloma del arca para ver qué era capaz de encontrar, y ella regresó con una rama de olivo, señal de que Dios devolvía la vida al mundo anegado en agua.

¿Por qué tienen las cebras franjas blancas y negras?

Los pasos de peatones en la carretera tienen franjas blancas y negras para que se vean claramente. Entonces uno podría pensar que al tener franjas blancas y negras, las cebras serían unos blancos ideales para los animales que las cazan. Si las cebras vivieran solas, probablemente tendríamos razón en pensar así; pero la naturaleza es más sabia de lo que nos creemos.

Las cebras viven en manadas, así que cuando están todas juntas, sus colores crean una imagen engañosa de franjas blanquinegras mezcladas moviéndose en distintas direcciones a la vez. Un depredador que intente elegir una en particular para su almuerzo se quedará bizco del esfuerzo, o por lo menos, eso es lo que esperan las cebras. Siempre que se mantengan juntas, su extraño camuflaje les proporciona una enorme protección.

¿De dónde procede nuestro alfabeto?

El alfabeto que usamos es conocido como alfabeto latino. Más o menos es el mismo que utilizaban los antiguos romanos. Quizá nos parezca algo difícil entender esto al leer algunas de las antiguas letras romanas; pero los eruditos han confirmado que nuestras letras procedieron de ellas.

Los romanos no las inventaron, sino que las adaptaron del alfabeto griego, que copiaron. La palabra 'alfabeto' procede del nombre de las dos primeras letras griegas: 'alfa' y 'beta'. ¿Y de dónde procede el alfabeto griego?

Bien, pues el primer alfabeto que se utilizó en el mundo occidental fue el que inventaron los fenicios, un pueblo de comerciantes de África del norte.

Ellos, a su vez, se inspiraron en el de los sumerios, que vivían en lo que ahora es el sur de Irak. Por todo esto, parece adecuado afirmar que el primer pictograma se originó hace más de 3.500 años en las zonas geográficas del Mediterráneo oriental y de Oriente Próximo.

¿Cuál de todas las letras de nuestro alfabeto piensas que se ha mantenido más tiempo con la forma actual?

La contestación es la 'o'. Los expertos en lenguaje han llegado a la conclusión de que esta letra no ha cambiado nada desde que los fenicios empezaron a escribirla.

¿Por qué los panecillos con salchichas se llaman perritos calientes?

Llevamos mucho tiempo comiendo salchichas. A los griegos clásicos les encantaban, y las salchichas han tenido mucha fama por toda Europa durante cientos de años. A finales del siglo XVII se empezó a fabricar en Alemania un tipo de salchicha que se llamó 'salchicha de perro tejonero'. Cuando los emigrantes alemanes comenzaron a partir hacia los Estados Unidos, se llevaron con ellos las 'salchichas tejoneras'. Hace unos 100 años empezaron a venderse en las calles de Nueva York, dentro de un panecillo y con *chucrut*.

En un día frío de 1901, un vendedor callejero gritaba a sus posibles clientes: '¡Calentitas! ¡Compre sus salchichas ahora que están calentitas!' Un dibujante que pasaba tuvo una idea y dibujó unos perros tejoneros envueltos en los panecillos típicos. Sin embargo, el dibujante no sabía cómo escribir 'tejonero' *(dachshund* en alemán), y llamó a las salchichas con pan 'perros calientes', y el nombre se hizo popular.

¿Qué planta puede crecer casi un metro por día?

Ciertas especies de bambú pueden hacerlo, y algunas son realmente rápidas: 91 centímetros en un solo día. En menos de tres meses llegan a alcanzar una altura de 30 metros.

¿Cuántos dedos tiene Mickey Mouse?

Poca gente se ha molestado alguna vez en contarlos. Pero si se mira de cerca, se puede ver que Mickey no tiene cinco dedos en cada mano. Solamente tiene cuatro, lo que hace un total de ocho si contamos ambas manos.

¿Cómo puede un láser atravesar objetos mediante una luz?

Si sostienes una lupa de manera que arroje un rayo de luz sobre un trozo de papel, y lo haces durante el tiempo necesario, el papel empezará primero a echar humo y luego arderá. Ésa es una manera de atravesar algo con luz, pero el papel es muy distinto del acero.

Sin embargo, los rayos láser pueden atravesar el acero en menos de lo que lo que tú tardas en quemar un papel con una lupa. El secreto es que el láser utiliza un tipo de luz diferente.

Las ondas de la luz normalmente se entrecruzan unas con otras al pasar a través del aire. Cuando esto ocurre, la energía de una onda contrarresta la energía de otra. En el láser las ondas de luz trabajan al unísono. Por lo tanto, toda la energía puede ser canalizada dentro de un rayo muy estrecho y potente de luz; lo suficientemente potente como para atravesar el acero o enviar un rayo del grosor de un lápiz a grandes distancias, en la Tierra o en el espacio.

¿Cuál es el lugar más húmedo del mundo?

Si entendemos por el lugar más húmedo aquel donde más cantidad de lluvia cae al año, entonces el primero es Tutunendo, en Colombia, con una cantidad de lluvia anual de 11.770 milímetros.

Esa cifra parece impresionante, pero el monte Wai-'ale-'ale, en Hawaii, tiene 350 días de lluvia al año, estableciendo un récord mundial poco envidiable.

¿Por qué el polo Norte no es el lugar más frío del hemisferio Norte?

Todo el mundo sabe que hace frío, o mejor, muchísimo frío, en el polo Norte; por eso es razonable suponer que mientras más te acerques al polo y más te alejes del ecuador, más frío hará.

Curiosamente, esto no es del todo correcto. En el estado americano de Virginia nieva más que en las zonas bajas del Ártico, aunque está situado mucho más al sur que éste. En el estado de Montana, en el norte de Estados Unidos, la temperatura ha llegado a descender por debajo del mínimo registrado en el polo Norte.

El caso es que el hecho de que un lugar sea frío, no sólo depende de la cercanía al polo Norte, sino también de la altitud, que afecta mucho a la temperatura. Mientras más altura se alcanza por encima del nivel del mar, más frío hace, y Montana es un estado montañoso.

El océano tiene también su propia influencia. Los océanos que circundan el polo Norte son recorridos por diversas corrientes cálidas, que colaboran para mantener las temperaturas más altas de lo que podrían ser.

Sin embargo, el océano apenas ejerce su influencia meteorológica en el centro de un gran continente, como es el caso de Montana. Aquí los extremos de temperatura son mucho más pronunciados que en lugares cercanos al océano o al mar.

¿Qué árbol todavía vivo ya crecía en el año 2.700 antes de Cristo?

Se trata de un pino que tiene piñas con púas y se llama Matusalén. Lleva creciendo unos 4.700 años en Monterrey, California.

¿Cómo funcionan los hornos microondas?

Que los hornos microondas son rápidos nadie lo puede negar. El preparado o calentamiento de la comida, que en hornos normales lleva veinte o treinta minutos, puede hacerse en menos de una décima parte de ese tiempo en un horno microondas. Con esa rapidez, no es extraño que se hayan convertido en la última moda para la cocina.

Si uno se pone a pensar, cae en la cuenta de que no ha cambiado gran cosa el modo de cocinar desde los días en que nuestro primitivos antepasados hacían filetes de mamut en las cavernas, utilizando una hoguera para dejar la comida en su punto. Incluso los hornos más modernos de hoy siguen aplicando el mismo principio.

Quizá no utilicen el fuego directamente, pero la comida se hace exponiéndola a un calor exterior.

El microondas da la vuelta a ese principio culinario. En vez de calentar desde fuera hacia dentro, calienta todas las capas, exteriores o interiores, al mismo tiempo.

Las ondas electromagnéticas que realizan el cocinado o el calentamiento de la comida bombardean ésta a una velocidad fantástica, lo que activa las moléculas que la componen, creando así una cantidad considerable de calor en todas ellas con sólo apretar un botón.

Este proceso es extremadamente rápido. Con un horno microondas se tarda el mismo tiempo en cocinar, comer y fregar que lo que lleva sólo cocinar en un horno convencional.

¿Por qué se encuentran conchas marinas en lo alto del Himalaya?

Hace millones de años, cuando la tierra todavía era joven, la zona donde ahora está el Himalaya era el fondo de un océano. Desde entonces mucho ha pasado y en la actualidad el Himalaya es la cordillera más elevada del mundo. En ella está el pico más alto, que es el Everest, con casi 9 kilómetros de altitud por encima del nivel del mar. Entonces, ¿qué convirtió el fondo de un océano en una cordillera? La respuesta es: una gigantesca acumulación de presión en la tierra.

La superficie del globo terráqueo está formada por enormes plataformas de tierra, a las que se denomina placas tectónicas. Hace 60 millones de años, la placa en la que está la India comenzó a moverse hacia el norte, hacia la placa en la que descansa el resto de Asia central. Entre la India y el Asia central, por entonces, se encontraba el mar.

Cuando las dos placas chocaron entre sí, el fondo de ese mar fue aplastado. A medida que la placa de la India continuó presionando en dirección norte, el fondo marino se plegó. Las capas rocosas se entremezclaron, aplastándose unas contra otras.

Después de 60 millones de años, el resultado final es impresionante. El mar desapareció ya hace mucho tiempo, y en su lugar podemos ver una cordillera gigantesca que separa la India del resto de Asia central.

El proceso prosigue en nuestros días y los expertos consideran que el Himalaya continuará siendo empujado hacia arriba lentamente, quizás aumentando su altitud en unos 5 centímetros al año.

¿Y qué pasa con las conchas marinas? Pues que los alpinistas han descubierto los restos de estas conchas (que en un tiempo pasado estaban en el fondo de ese mar antiquísimo) enterradas entre las rocas de las altísimas montañas del Himalaya.

¿Cómo adquirió la Cruz Roja ese nombre?

La Cruz Roja Internacional fue fundada en la ciudad suiza de Ginebra en 1864, con el fin de cuidar a los soldados heridos o hechos prisioneros durante la guerra. La organización eligió como símbolo la bandera suiza con los colores invertidos. Por eso, en lugar de tener una cruz blanca sobre fondo rojo, tiene una cruz roja sobre fondo blanco.

¿Qué pez es capaz de derribar a sus presas de un disparo?

El pez arquero, y por eso se le llama así. Verdaderamente, hay algo furtivo en este astuto pez. Permanece quieto justo debajo de la superficie del agua, oculto por las plantas que cuelgan sobre ella. Allí está inmóvil, a la espera de la llegada de insectos sabrosos que descansen brevemente sobre las hojas o flores. Cuando uno de éstos se posa en la planta, el pez arquero dispara un chorro de agua hacia arriba, a través de un tubito que tiene en la boca.

El pobre insecto, desprevenido, pierde el equilibrio y cae al agua, donde es inmediatamente engullido. El pez arquero tiene una puntería excelente. Puede acertar a insectos a una distancia de metro y medio, cosa que no está nada mal teniendo en cuenta que él mismo no pasa de los 20 centímetros de longitud.

¿Por qué los huevos tienen forma de huevo?

Aunque a simple vista parezca muy sencillo, el huevo de un pájaro es un ejemplo de ingeniería muy avanzada. Tiene que ser a la vez lo bastante duro como para proteger a la cría que está creciendo dentro, y lo bastante blando como para permitir que el pájaro bebé lo rompa cuando llega el momento de salir del cascarón. La solución de la naturaleza a este problema es hacer los huevos curvos.

Toda presión ejercida sobre el exterior de la cáscara la comprime, lo cual la hace más resistente. Esto da al pequeño pájaro una protección extra. Intenta romper un huevo apretándolo en la mano y comprobarás la dureza mencionada. (Ten a mano un tazón por si acaso aprietas demasiado).

Una cáscara dura es lo ideal para un pájaro mientras está creciendo, pero cuando está listo para salir del cascarón, éste tiene que dejarle salir. Y es ahora cuando la forma curvada demuestra su valía. Cuando el pájaro empieza a picotear y a empujar la cáscara desde dentro, ésta no se comprime y se rompe con gran facilidad.

¿Por qué las manecillas del reloj se mueven en el sentido de las manecillas del reloj?

Los relojes mecánicos fueron inventados en el hemisferio Norte, es decir, la mitad de la Tierra situada al norte del ecuador. Antes de que existieran, la gente utilizaba relojes de sol para saber la hora.

En un reloj de sol se indica la hora mediante la sombra que proyecta el palo central; en el hemisferio Norte, la sombra se mueve en lo que ahora llamamos el sentido de las manecillas del reloj. Por eso, cuando se fabricaron los primeros relojes, sus manecillas se diseñaron para que se movieran en el mismo sentido.

Si se hubieran inventado los relojes en el hemisferio Sur, todo habría sido al revés. La sombra que se proyecta en un reloj de sol se mueve en dirección contraria, y es de suponer que los relojes se hubieran fabricado para moverse en esa misma dirección.

¿Por qué relampaguea el relámpago y truena el trueno?

Roy Sullivan, un americano del estado de Virginia, podría contarte un par de cosas sobre esto. En el transcurso de su vida fue alcanzado por un rayo en siete ocasiones durante un período de 35 años, lo cual le convierte en alguien único en el mundo, además de en una persona muy afortunada, ya que un rayo puede matar.

Los rayos y los truenos aparecen durante las tormentas, cuando soplan fuertes vientos y grandes nubes surcan el cielo. Dentro de estas nubes se forman acumulaciones impresionantes de electricidad. En el momento en que se descargan, zigzaguean hasta la tierra en forma de rayos.

Dichos rayos siempre encuentran el camino más corto hasta el suelo, por lo que frecuentemente vienen a caer sobre árboles o edificios altos. Los primeros pueden incendiarse y los segundos han de protegerse mediante pararrayos, que conducen la descarga eléctrica a la tierra evitando males mayores.

Situarse bajo los árboles durante una tormenta puede ser peligroso. También es arriesgado atravesar a pie una zona llana y descubierta, ya que puedes ser el elemento más alto en ella.

Cuando el rayo atraviesa el aire, lo calienta en unos instantes hasta una temperatura muy alta. El aire aumenta de volumen causando un fuerte ruido: el trueno. Un rayo y su correspondiente trueno suceden simultáneamente, pero como la luz viaja a una velocidad considerablemente mayor que la del sonido, normalmente vemos el resplandor antes de oír el trueno.

Se puede adivinar a qué distancia está una tormenta por el intervalo entre los dos fenómenos. Mientras mayor sea, más lejana estará la tormenta. Si el intervalo se acorta, quiere decir que la tormenta se está acercando. Si los dos tienen lugar al mismo tiempo es que tenemos la tormenta justo encima. Por ello, mucho cuidado. Recuerda lo que le pasó a Roy Sullivan.

¿Existen ardillas que pueden volar de verdad?

¡Sí! Viven en Australia, y no tienen alas ni viajan en avión. Estrictamente hablando, tampoco se puede decir que 'vuelen'. Planean sobre corrientes de aire desde las ramas de un árbol hasta otro.

Muchas especies de ardillas son buenas saltadoras, pero estas australianas ciertamente ganan a todas las demás. Poseen una enorme faldilla de piel que recubre todo su cuerpo, uniendo las patas delanteras con las traseras.

Cuando se lanzan por el aire desde una rama, extienden las cuatro patas; la faldilla de piel se extiende también, formando una especie de paracaídas.

Provistas de esta manera, las ardillas voladoras pueden planear como en el vuelo sin motor y recorrer, sin problemas, 40 ó 50 metros.

¿Por qué la luz blanca tiene distintos colores y cómo los distinguimos?

Solamente cuando los rayos de luz solar se dividen podemos apreciar que la luz blanca está formada por distintos colores. Los arco iris aparecen al tener lugar esa división de la luz, y el mismo efecto produce la figura triangular de cristal llamada prisma.

Rojo, naranja, amarillo, verde, azul, añil y violeta son los siete colores que forman la luz blanca, como cualquier arco iris hace ver. Estos colores son ondas de radiación electromagnética procedentes del sol, que se mueven a través del aire a velocidades diferentes.

El abanico de todos los colores se denominan espectro. Si se coloca un prisma en el trayecto de un espectro, cambia el proceso de división de los rayos y une todos los colores para formar de nuevo la luz blanca.

¿Cómo se cierra una cremallera?

Las cremalleras tienen menos de cien años de existencia. Las más eficientes, a prueba de desagradables sorpresas, sólo llevan en el mercado sesenta años.

Antes de la irrupción de las cremalleras, la ropa y los zapatos tenían que ser abrochados mediante botones, cordones o ganchos y ojales. Vestirse era difícil y llevaba mucho tiempo, por lo que la gente se ponía de mal humor nada más comenzar el día.

En 1903 apareció *el cierre deslizante*, como el inventor de la primera cremallera llamó a su idea luminosa. Visto hoy en día, parecía bastante basto y poco manejable. Tampoco podía uno confiar plenamente en él. Sin embargo, para Whitcomb L. Judson, el ingeniero de Chicago que tuvo la brillante idea, fue digna de un genio.

Las primeras cremalleras se diseñaron con la finalidad de abrochar sólo botas y zapatos; pero se abrían con bastante facilidad y tenían la tendencia a engancharse en los calcetines y las medias.

El definitivo avance llegó diez años después. En 1913, un ingeniero sueco de nombre Gideon Sundback tuvo la idea de hacer una cremallera con dos tiras idénticas que se entrelazaban sobre una base flexible.

En cada una de las tiras, había pequeños dientes en forma de gancho que se trababan con las aberturas situadas debajo de los dientes de la otra tira.

Intenta enganchar una cremallera a base de empujar con los dedos unos dientes contra otros y verás que son demasiado anchos como para que se encajen entre cada dos de la tira contraria. Sin embargo, cuando tiras de ella como es debido, los dientes se abren permitiendo que los de la otra tira encajen perfectamente. A menos que tengas muy mala suerte, una vez que la cremallera está cerrada, permanecerá así tanto tiempo como quieras.

Cuando abres la cremallera, el proceso es justo el contrario, y los dientes se abren para dejar que los de la otra tira se desabrochen y se separen.

¿Por qué hay olas en el mar?

Cuando el viento sopla en una zona bastante amplia y llena de agua, produce las olas. Esto se puede comprobar desde la orilla de cualquier lago, de un estanque o en la playa, junto al mar. En tiempo de calma, cuando el viento es una mera brisa, las olas son pequeñas. A medida que los vientos se hacen más fuertes, también las olas se hacen mayores. En tiempo tormentoso pueden aparecer olas gigantescas que viajan durante cientos de millas de océano, hasta ir a estrellarse contra la costa con una fuerza verdaderamente destructora.

Sin embargo, por muy fuerte que sea el viento, el agua no se mueve en absoluto, sino que las olas recorren su superficie.

En 1933, los tripulantes de un barco americano que cruzaba el océano Pacífico durante un huracán fueron testigos de la presencia de una ola que medía 34 metros desde la cresta hasta la base.

A pesar de la enormidad de esa cifra, los terremotos producen olas incluso mayores. Se las denomina *tsunamis*, una palabra japonesa que quiere decir 'olas de puerto'. Las *tsunamis* son olas bajas que surcan los mares a grandes velocidades —hasta 790 kilómetros por hora— hasta que se acercan a las aguas poco profundas cercanas a las costas. En ese momento se convierten en olas gigantes.

En 1771 una *tsunami* de alrededor de 85 metros de altura apareció en las islas Ryukyu, en la zona sur del Japón. La fuerza de la ola fue tan grande que arrojó una enorme roca de 750 toneladas a una distancia de más de 2 kilómetros y medio.

¿Qué es una estrella fugaz?

Aunque las llamemos estrellas, realmente no son más que ínfimas aglomeraciones de polvo espacial que arden al entrar en la atmósfera de la Tierra. La fricción al contacto con la atmósfera produce un intenso calor que hace que se deshagan en su recorrido por el cielo y se desintegren con un brillo breve pero de gran luminosidad.

Por término medio, en una noche clara se puede ver una estrella fugaz cada diez minutos.

Cada cierto tiempo, la Tierra atraviesa una nube de polvo dejada por un cometa, y al hacerlo, las estrellas fugaces aparecen con mucha más frecuencia.

Las naves espaciales que regresan a la Tierra tienen que ir provistas de escudos protectores especiales para su encuentro con la atmósfera terrestre.

La lanzadera espacial americana, por ejemplo, cuenta con unos cuadros cerámicos que reflejan el calor. Sin éstos ardería completamente al volver a entrar en la atmósfera.

¿Por qué se nos pone carne de gallina cuando tenemos frío?

Cuando sentimos frío, nuestros cuerpos reaccionan rápidamente para producir calor. A continuación, sin apenas tiempo para darnos cuenta, se nos pone la carne de gallina. Esto se debe a que la multitud de pequeños músculos de la piel se contraen al sentir frío y hacen que el vello que cubre nuestro cuerpo se erice, esforzándose por crear una pequeña capa de aire que nos aísle y nos dé sensación de calor.

¿Cómo se las arreglan los salmones para volver desde el mar hasta los ríos donde nacieron?

Los salmones poseen uno de los instintos de búsqueda de su lugar de origen más asombrosos del mundo natural. Estos peces nacen en ríos y arroyos —frecuentemente en el interior, a cientos de kilómetros de las costas— donde pasan los primeros dos años de su vida. Luego nadan río abajo hasta el mar, que se convierte en su hábitat durante los siguientes tres o cuatro años.

Después de hacerse grandes y fuertes con la rica alimentación marina, los salmones intentan regresar a las áreas de agua fresca donde nacieron.

Únicamente los que son atrapados por los pescadores o los que mueren de alguna otra forma fracasan en ese viaje de vuelta. El resto encuentra, contra corriente, el camino de regreso a los mismos riachuelos donde fueron incubados. Una vez llegados, las hembras ponen sus huevos. Los machos los fertilizan y los huevos quedan enterrados en la grava del fondo hasta que los pececillos comienzan su viaje por la vida.

Los experimentos realizados demuestran que los salmones logran encontrar el lugar de su nacimiento gracias a un sentido del olfato (o gusto) altamente desarrollado. Aquellos cuyos orificios nasales se taponan con algodón, se pierden.

De ser esto verdad, tenemos la explicación de cómo encuentran su hogar una vez que están en el río, pero no de cómo se orientan en alta mar. Quizás lo hacen fijándose en la posición del sol y las estrellas. Quizá los cambios en la temperatura del agua les ayudan a guiarse. Todavía no sabemos con seguridad cómo lo hacen, cosa que no preocupa lo más mínimo a los salmones. Ellos sencillamente siguen regresando a sus hogares como lo han hecho sus antepasados durante millones de años.

¿Por qué algunos árboles dejan caer sus hojas en otoño?

Se pueden dividir los árboles en dos grupos importantes según sus hojas. Algunos, como pinos, abetos y tejos, tienen hojas pequeñas que parecen agujas. Otros tienen hojas planas y anchas; los de este grupo son, entre otros, robles, hayas, fresnos y arces, y pierden su follaje en otoño; por eso se llaman árboles *de hoja caduca*.

Los árboles necesitan de las hojas para vivir y crecer, porque son parte de su sistema circulatorio, si podemos decirlo así. Durante la primavera y el verano, grandes cantidades de agua son absorbidas por las raíces. El agua se distribuye por todo el árbol y a la larga regresa a la atmósfera a través de las hojas. A este proceso se le llama 'transpiración'.

Un árbol puede transpirar una cantidad impresionante de agua. Se calcula que un roble de tamaño medio llega a soltar hasta 680 litros de agua en un día. En primavera y verano, cuando hace bastante calor, esto no supone problema alguno, pero cuando el otoño llega y la temperatura del suelo disminuye, es más difícil que el agua circule dentro del árbol con facilidad.

Es ahora cuando los árboles tienen problemas para conseguir todo el líquido que necesitan. A medida que el tiempo es más frío, con el comienzo del invierno, la circulación del agua dentro del árbol se hace imposible.

Las hojas, al igual que cualquier otra parte de un árbol, absorben agua para sobrevivir; por ello, el árbol las deja caer, bloqueando el proceso de transpiración y conservando su almacén de agua hasta la vuelta de la primavera. Ésta es la razón por la cual los árboles de hoja ancha siempre están desnudos en el invierno.

La mayor parte de las coníferas —los árboles con hojas como agujas— se comportan de manera distinta. Como sus hojas son mucho más pequeñas, se transpira una cantidad infinitamente menor de agua a través de cada una, lo que significa que pueden mantener su follaje durante todo el año. En vez de deshacerse de sus hojas en el otoño y de renovarlas en primavera, éstas brotan y caen ininterrumpidamente todo el año. Por eso se los conoce con el nombre de árboles *de hoja perenne*.

¿Cómo pueden las ondas de radio, que se emiten en línea recta, distribuir su señal alrededor del mundo?

Éste parecía un problema insoluble en los comienzos de la comunicación por radio. Muchos científicos, conocedores de que las ondas de radio se desplazan en línea recta, pensaron que saldrían al espacio y se perderían.

Afortunadamente, un científico inglés llamado Oliver Heaviside y su colega americano, Arthur Kenelly, tenían una idea distinta. Predijeron que en las capas altas de la atmósfera de la tierra había una capa que bloquea el camino de las ondas y las envía de vuelta a la tierra.

Tenían toda la razón, y la capa atmosférica que devuelve las ondas de radio fue denominada la capa Kenelly-Heaviside en su honor. Gracias a este efecto, es factible emitir señales de radio desde, por ejemplo, Nueva York hasta Madrid, lanzándolas directamente a la atmósfera y dejando que reboten hacia la tierra, a su destino.

Los planetas que no tienen atmósfera, como la Luna, presentan un problema de índole diferente. Carecen de atmósfera, de capa Kenelly-Heaviside y de ondas de radio que reboten. Bajo estas condiciones, las posibles señales de radio saldrían disparadas hacia el espacio. Por ello, si en un futuro próximo se construyesen estaciones de radio en planetas como la Luna, la única manera de enviar mensajes de un lado del planeta al otro, sería utilizar un satélite en el espacio para que refleje las ondas hacia su destino.

En el caso de la Luna, se podría utilizar el planeta Tierra como satélite reboteador.

¿Qué proporción de la superficie de la Tierra está cubierta por hielo?

En la actualidad, se calcula que 15.600.000 kilómetros cuadrados de la superficie de la Tierra están cubiertos por hielos perpetuos. Eso supone el 10,5 por ciento de la superficie total de la Tierra.

En otras épocas no fue así. Nadie sabe con seguridad qué ocurrió con el clima de la Tierra hace decenas de miles de años, pero parece probable que hace unos 10.000 años, cifra pequeña en estos temas, la Tierra comenzara a salir de una edad glaciar.

El clima del planeta había sido tan frío durante tanto tiempo que la mayor parte del norte de Europa tenía la misma apariencia que la Antártida de hoy.

En el Reino Unido las capas de hielo llegaban hasta el río Támesis,y los sitios donde ahora se levantan las principales ciudades del norte de Europa, como Amsterdam, Berlín, Copenhague y Estocolmo, estaban enterrados bajo cientos de metros de hielo. No puede extrañarnos que los mamuts que vagaban por el norte de Europa en esa época necesitaran esas pieles tan gruesas para mantenerse calientes.

¿Cuánta piel tenemos?

Nuestra piel es algo alucinante. Evita que las bacterias entren en nuestros cuerpos; no deja salir el agua, que constituye el 60 por ciento del contenido total de nuestro cuerpo; también nos protege de los rayos dañinos del sol y se muda para darnos una protección extra cuando la necesitamos. Por eso nos ponemos morenos después de tomar el sol. Nuestra piel nos ayuda, además, a controlar la temperatura del cuerpo. Dentro de ella está nuestro sentido del tacto. La capa externa siempre se está renovando y puede curarse a sí misma cuando sufre una herida.

La décima parte de la sangre que tenemos circula por nuestra piel, que contiene una increíble multitud de elementos distintos. Por término medio, cada centímetro cuadrado de piel alberga cientos de terminaciones nerviosas, por no mencionar los vasos sanguíneos, los folículos del pelo y las glándulas del sudor.

Con todo este trabajo que hacer, no parece sorprendente que nuestra piel suponga el 16 por ciento de nuestro peso. Un hombre medio está cubierto aproximadamente por 1,85 metros cuadrados de piel, y una mujer, por 1,57 metros cuadrados.

¿Por qué no pueden volar los pingüinos?

Los pingüinos están adaptados a la vida en el mar y no en el aire. Puede que no sean capaces de volar y que parezcan desgarbados cuando caminan torpemente por tierra, pero en el agua se convierten en unos magníficos nadadores. De hecho, cuando nadan y hacen cabriolas en el mar, son tan elegantes en sus movimientos que se les ha tomado equivocadamente por delfines o marsopas.

Los pingüinos disponen de alas, pero son cortas y achatadas comparadas con las de los pájaros que vuelan. Además, tienen la articulación del hombro totalmente rígida. Incluso carecen de articulación en el codo, por lo que no pueden doblar las alas como los demás pájaros.

Sin embargo, estas pequeñas y fuertes alas se convierten en unas excelentes paletas en el agua, que es donde los pingüinos se sienten verdaderamente en su ambiente. También les sirven para darse impulso en tierra cuando están asustados o tienen prisa: se puede ver a los pingüinos aleteando con furia para lograr un poco más de velocidad.

En fin, viven perfectamente contentos con las alas que tienen y en todo caso, unas alas que les capacitaran para volar no les servirían de nada debajo del agua.

¿De dónde proceden nuestros números?

Los números más utilizados en todo el mundo son 1, 2, 3, 4, 5, 6, 7, 8, 9 y 0. Se les llama números *arábigos*, porque los eruditos europeos los encontraron por primera vez en libros escritos por sabios árabes. Y para complicar más las cosas, los árabes los habían encontrado en libros de Matemáticas escritos por sabios hindúes, por lo que, efectivamente, es en la India donde se originaron los números que usamos hoy en día; se utilizaron por primera vez hace unos 2.500 años.

Si los viéramos tal como eran entonces, no los reconoceríamos; pero si se estudia su evolución y sus cambios con el paso de cientos de años, se puede entender cómo una forma va produciendo otra, hasta llegar a las formas definitivas que conocemos y usamos en la actualidad.

El '0' apareció mucho después que los números que van del 1 al 9. En un principio, la cantidad cero se señalaba con un punto. El círculo que ahora utilizamos no llegó a Europa hasta el siglo XII, es decir, unos doscientos años después que los otros.

¿Cuándo se echaron a volar las primeras cometas?

Las cometas se utilizan desde hace trescientos años, y no sólo como una diversión muy interesante en días de viento. Las primeras cometas fueron inventadas en China, donde tenían una finalidad religiosa, o se usaban para pescar, enviar señales y elevar

a la gente por el aire. Esto último convierte a la cometa en el primer ingenio volante para seres humanos de la Historia, y el que más ha durado.

En 1904, el ejército británico empezó a utilizar cometas para levantar por los aires a sus observadores, con el fin de que tuvieran una buena panorámica del campo de batalla o pudieran ver qué hacían las tropas enemigas.

Hoy en día se sigue recurriendo a las cometas para izar antenas de radio, desde botes salvavidas, que ayuden en el salvamento de marineros que han naufragado o pilotos que han caído al mar.

¿Por qué los astronautas no pesan nada en el espacio?

La idea de flotar en cualquier sitio como si uno no pesara absolutamente nada parece relativamente divertida; pero intenta imaginar lo que se debe sentir al perder el control que normalmente tenemos sobre nuestros cuerpos. Los astronautas aprenden a vivir bajo estas condiciones, a veces durante meses y meses, ya que cuando están en el espacio sus cuerpos quedan ingrávidos.

Una vez que una nave está en órbita, permanece en posición a causa de la gravedad de la Tierra. Los astronautas dentro de ella están sujetos a la misma fuerza gravitatoria, pero como ellos y la nave se mueven en la misma dirección, no son atraídos por el suelo, sino que flotan por cualquier parte de ella.

La falta de gravedad causa un curioso efecto secundario que quizá anime a los que desearían ser un poquito más altos: puesto que sus cuerpos no sufren el tirón de la gravedad hacia la Tierra, los astronautas han comprobado que sus cuerpos se estiran un poquito cuando están en el espacio. Ahora bien, el efecto no dura mucho una vez que regresan a la Tierra. La fuerza de la gravedad les reduce a su altura original en unos minutos.

¿Por qué se arruga la piel de los dedos de manos y pies después de pasar un largo tiempo en el baño?

Dos cosas suceden cuando nos damos un baño prolongado: nos quedamos más limpios que si no nos lo diéramos y la piel de las palmas de las manos y las plantas de los pies se arruga.

Estas zonas de la piel cuentan con una capa protectora más gruesa. Cuando se empapa de agua durante largo tiempo, aumenta de tamaño y forma pliegues. En otras partes del cuerpo la piel se comporta de igual manera, pero las arrugas son mucho menos evidentes, ya que tienen otras zonas cercanas hacia las que pueden dilatarse.

¿Por qué se puede rasgar un periódico con un corte limpio en una dirección, pero en la otra, el corte sale en zig-zag?

Inténtalo, es un experimento interesante. Pero asegúrate de que no usas el periódico de hoy.

El papel de los periódicos está fabricado con pasta de celulosa, y de tal manera que todas las fibras están en un sentido. Si se rompe la hoja en la dirección de la veta de las fibras, el resultado es un corte limpio y recto. Pero si se da la vuelta a la hoja y se intenta romper en el otro sentido, la diferencia es completa.

Romper en sentido contrario las fibras es mucho más difícil. El papel entonces se rasga cada vez que encuentra la resistencia de una fibra. Este movimiento 'a trompicones' da lugar a un corte irregular.

¿Respiran los peces?

Los peces necesitan oxígeno para vivir, exactamente igual que nosotros. Pero la mayoría de ellos utiliza sus branquias para extraerlo del agua; por eso no se puede decir propiamente que 'respiren'.

Sin embargo, parece que siempre hay una excepción a cada regla, y en este caso se trata del pez pulmonado de Australia, África y Sudamérica. Como su mismo nombre indica, es capaz de tomar oxígeno del aire.

Los peces pulmonados son los últimos supervivientes de un grupo de animales que vivió en la Prehistoria, en un período en el que los animales empezaron a salir de las aguas para vivir sobre la tierra.

Hoy los peces pulmonados viven en partes secas del mundo, donde las ciénagas, que son su hábitat natural, se secan en el verano. Cuando esto ocurre, se entierran en el fango blando y húmedo, y respiran aire hasta que llega de nuevo la estación de las lluvias. Algunos peces de esta especie han sobrevivido después de cuatro años de vivir así.

¿Por qué huelen las flores?

Las flores de la mayor parte de las plantas existentes emiten un agradable perfume que llena nuestros jardines y por el que nos sentimos agradecidos. Pero, aunque nos gusten estos perfumes, no han sido creados para que nosotros los disfrutemos. Las plantas los emiten para atraer a unos invitados mucho más importantes: los insectos, y de manera particular, las abejas, que realizan un importante cometido llamado *polinización*.

Cuando los insectos penetran dentro de las flores para sorber su néctar, también recogen el polen. Mientas vuelan de flor en flor, transfieren ese polen. De este modo, garantizan que las plantas queden fecundadas y produzcan semillas, que servirán para que nazcan nuevas plantas al año siguiente.

No todas atraen a los insectos con perfumes agradables. Algunas, como la azucena putrefacta, huelen mal, cosa que te puedes imaginar por el nombre. Necesita atraer moscas que la fecunden. Esto es especialmente importante para esta planta tropical, porque tiene la flor más grande del mundo, que puede llegar a medir 90 centímetros de diámetro.

¿Por qué se pintan líneas en los cascos de los buques?

Los cascos de los buques tienen de todo: pintura, óxido, percebes, algas y un conjunto curioso de líneas pintadas justo por encima de la línea de flotación. Desde 1876, los buques mercantes de todo el mundo llevan estas marcas. A la horizontal se le llama línea Plimsoll, en memoria de Samuel Plimsoll, un político británico que hizo campaña a favor de una mayor seguridad en el mar.

La línea Plimsoll está a ambos lados del casco del buque. Su promotor la concibió como una línea de seguridad que señalara el nivel máximo de carga que el buque podía llevar sin peligro en distintas épocas del año y en diferentes partes del mundo.

La línea Plimsoll original se dibujaba atravesando un círculo horizontalmente. En la actualidad se sigue utilizando el mismo círculo con el añadido de las siglas LR, que quieren decir Registro de Lloyd's, la organización internacional que controla la marina mercante. A su lado hay seis líneas verticales con muescas que indican niveles de carga posibles en aguas de distinta densidad. TF quiere decir agua dulce tropical; F, agua dulce; T, tropical; S, verano; W, invierno y WNA, invierno en el Atlántico Norte.

¿Dónde se encuentra el bosque más grande del mundo?

Leemos y escuchamos tantas cosas sobre la destrucción de la selva tropical del Amazonas, que es fácil sacar la idea de que éste es el bosque más grande del mundo. No hay duda de que la cuenca del Amazonas está cubierta por una zona arbolada inmensa, la más grande de los trópicos. Tampoco existe duda alguna de que juega un papel vital en el equilibrio del tiempo atmosférico de nuestro planeta. Sin embargo, no es la zona arbolada más grande de la tierra.

Esa zona está situada mucho más lejos, hacia el norte, en regiones de la ex-Unión Soviética que llegan hasta el Círculo Polar Ártico. Bosques interminables de coníferas cubren esta parte remota del mundo. Los cálculos actuales consideran que hay 1.100 millones de hectáreas cubiertas por árboles, ¡una zona mayor que toda Europa! La cuarta parte del área arbolada del mundo se encuentra aquí, y más de un tercio de los árboles son alerces siberianos.

Aunque la selva amazónica es gigantesca, el bosque siberiano es tres veces mayor.

¿Desde cuándo se ha utilizado el signo =?

Hace miles de años los matemáticos antiguos ya se divertían con cálculos bastante complicados. Los números que utilizamos son también muy antiguos, como se puede leer en la página 39. Por eso uno piensa, con cierta lógica, que el signo de igual (=) debe tener bastante historia a sus espaldas; sin embargo, no es así.

La primera vez que se utilizó este signo con el significado de igual fue hace relativamente poco, en 1575. El autor del libro de Matemáticas donde apareció decía, a modo de explicación a sus lectores, que había utilizado el signo = con ese significado porque no podía haber dos cosas más iguales que dos líneas rectas paralelas.

¿Por qué los osos polares se tapan la nariz con sus zarpas cuando están cazando?

Pues no es para evitar estornudar y que se les escape la cena. Ni mucho menos. Los osos son mucho más inteligentes, además de unos astutos cazadores.

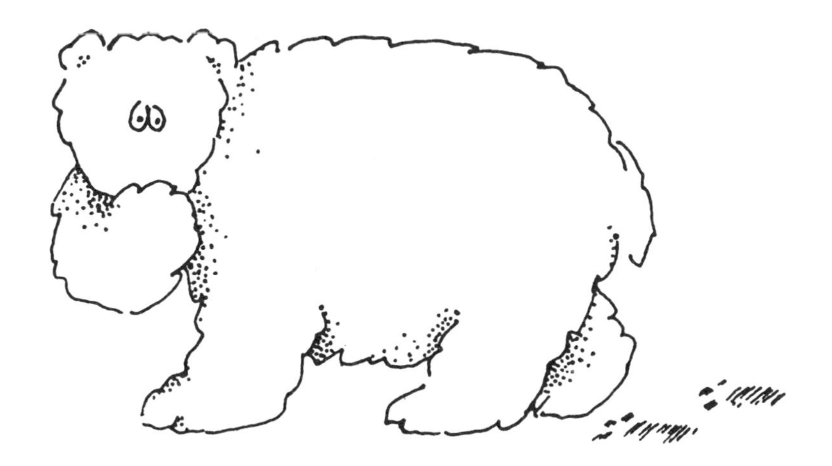

En verano, los osos polares comen fundamentalmente una dieta vegetariana. Pero en invierno, cuando las plantas de las que se alimentan se marchitan o son cubiertas por el hielo, se pasan a la carne, cazando focas y peces. Con 3 metros de largo no hay muchas posibilidades de esconderse en el Ártico, que es donde viven los osos polares; pocas veces hay algún obstáculo natural para ocultar a un oso de ese tamaño.

El hecho de ser blancos debe ayudarles a pasar más desapercibidos entre el hielo; pero no son completamente blancos: tienen el hocico negro; así que para ocultarse de su presa, los osos polares se tapan la única parte que podría traicionarles.

¿Por qué causan escozor las ortigas?

Si hay una cosa que consigue una ortiga, además de producirte picor, es hacerte precavido para evitar tocarla una segunda vez. Ésta es exactamente la intención de la naturaleza. El escozor que causan las ortigas es un medio de protección: impide que los animales intenten comerse la planta.

Si se mira la hoja de una ortiga al microscopio, se puede ver que los pequeños pelos que la cubren son en realidad minúsculos tubitos llenos de veneno. Estos tubos acaban en una punta muy quebradiza que se rompe al menor roce y deja un corte en forma de sierra irregular, que puede atravesar la piel fácilmente. De esta manera, el veneno penetra en la carne.

Probablemente, no necesitas que te recuerden que el veneno de las ortigas causa una sensación de picor que llega a durar varias horas. Tendrías que estar muy desesperado para coger una ortiga con las manos a sabiendas. Sin embargo, parece ser que los soldados romanos se frotaban el cuerpo con ortigas cuando hacía frío, para intentar entrar en calor.

¿Por qué se lleva el anillo de casado en el dedo anular?

Al cuarto dedo de cada mano se le conoce por dedo anular precisamente porque es donde la mayor parte de las personas casadas llevan su anillo de boda. En algunos países se lleva dicho anillo en el cuarto dedo de la mano derecha, mientras que en otros se prefiere el dedo anular de la mano izquierda.

Hay una razón práctica para llevar el anillo de boda en ese dedo: está bastante bien protegido de cualquier pérdida, roce o golpe fortuito que pueda ocurrir en la vida cotidiana. Se ofrece también una explicación más romántica: una vieja tradición asegura que una pequeña arteria va directamente de ese dedo al corazón, y, como cualquier canción de amor proclama, el corazón juega un papel muy importante en el casamiento.

Eco... eco... ¿Qué causa el eco?

El eco es la repetición del sonido por la reflexión de las ondas sonoras. Si uno se coloca a un extremo de un valle y grita hacia el otro extremo, se oirá el eco de la voz en uno o dos segundos. Este espacio de tiempo intermedio entre el grito y su eco depende de la distancia que el sonido tenga que recorrer y de la temperatura de la atmósfera.

En condiciones normales, las ondas sonoras surcan los aires a una velocidad aproximada de 340 metros por segundo. Esta cifra puede parecer importante, pero comparada con la velocidad de la luz es bastante pobre. Como, efectivamente, las ondas sonoras se desplazan con relativa lentitud, tenemos tiempo para terminar de gritar y oír a continuación el eco de nuestros gritos.

¿Qué hace que la marea suba y baje?

En todo el mundo el mar sube y baja dos veces al día, en marea alta y en marea baja. Esto ocurre a horas distintas en lugares distintos, y las horas de las mareas cambian de una día a otro. El intervalo entre la marea alta y la marea baja tiene un arco amplísimo de movimiento.

El mar Mediterráneo apenas tiene marea. Al otro lado del Atlántico, en la bahía Fundy, en el Canadá oriental, la marea sube hasta 16 metros.

¿Qué hace que toda esa cantidad de agua suba y baje? El Sol y la Luna. Ambos ejercen un tirón ocasionado por la gravedad de sus masas sobre el agua de la Tierra. El resultado es que cada veinticuatro horas se forman dos 'protuberancias' en los océanos

de la Tierra situados en lados contrarios del globo terráqueo. Como la Luna está más cerca de nosotros que el Sol, su atracción gravitacional es mayor.

Durante dos períodos de tiempo cada mes, la elevación y descenso de la marea es de más envergadura que lo normal. Se las llama mareas primaverales, aunque tienen lugar durante todos los meses del año, y no sólo en primavera. Las mareas vivas —o primaverales— son ocasionadas por el alineamiento de la Luna, el Sol y la Tierra, que juntos forman una línea recta. La influencia gravitacional del Sol se suma a la de la Luna y las mareas son, consiguientemente, de mayor envergadura.

Justo lo contrario ocurre otras dos veces al mes. El Sol, la Luna y la Tierra forman un ángulo recto en el que la atracción del Sol en parte anula la de la Luna. Como es de esperar, la fuerza de atracción de la gravedad de la suma de las dos es menor en esta posición; por lo tanto, la diferencia en las mareas es menor también: las mareas altas son más bajas y las mareas bajas, más altas. En estas condiciones, la marea también recibe un nombre especial, se llama marea muerta.

¿Cuánto tiempo podría durar la partida de dominó más larga posible?

¡118.000 años! Sí, es verdad, podría ser. Si un grupo de personas relevándose jugaran diez horas al día realizando un movimiento cada quince segundos, tardarían efectivamente la cifra mencionada de años en hacer todas las combinaciones posibles del juego.

¿Por qué brillan las estrellas?

La estrella más cercana a nosotros es el Sol. La mayor parte de las estrellas que vemos en el cielo nocturno son también soles, sólo que mucho más alejados de la Tierra. Dentro del Sol y de las demás estrellas se liberan continuamente unas cantidades fantásticas de energía debido a unas enormes reacciones químicas. Las estrellas albergan gigantescas cantidades de hidrógeno.

El hidrógeno se convierte en otro gas llamada helio por las altísimas temperaturas que hay dentro de las estrellas. Es precisamente este proceso de liberación de energía lo que las hace tener luz.

A la larga, las estrellas consumen de esta forma todo su hidrógeno y mueren.

¿De dónde surgió la idea de que la realeza tenía sangre azul?

Por supuesto que nadie tiene de verdad sangre azul, pero hace ya muchos años se observó que algunas personas tenían las venas más azules que otras. Esto ocurrió precisamente en España, el único país de Europa que estuvo ocupado durante bastante tiempo por los árabes de África del Norte, los cuales conquistaron y gobernaron al sur de España durante casi ochocientos años. En ese tiempo se mezclaron mucho con los españoles de origen europeo.

Sin embargo, los aristócratas españoles que no se habían mezclado con ellos empezaron a notar que tenían las venas más azules que los españoles de raza mestiza. Por eso se llamaron a sí mismos de sangre azul como señal de cuna aristocrática. Con el tiempo, la idea se extendió a otros países, donde la sangre azul se asoció inmediatamente con los más nobles de todos: la realeza.

¿Cómo cambia de color un camaleón?

Si hablamos de caza, nadie gana en eficacia y rapidez al camaleón. Este lagarto de extraña apariencia se mueve con gran lentitud y sigilo, además de tener varias habilidades asombrosas. Puede atrapar a su presa en menos de un segundo —para ser exactos, en 2,5 décimas—. Es capaz de mirar en dos direcciones al mismo tiempo. Finalmente, su característica más asombrosa: puede cambiar su color y sus manchas para camuflarse y no diferenciarse de lo que le rodea en un momento dado, lo cual hace que sea casi imposible detectarlo.

Los camaleones pueden hacerlo porque cuentan con células especiales de color en su piel, que les permiten adquirir un tono más verde o marrón con un tinte más oscuro o más claro, la opción necesaria para igualarse al paisaje circundante.

El camuflaje de los camaleones logra que resulte muy difícil localizarlos; pero además, estos animales tienen una vista de lo más interesante. Pueden mover cada ojo independientemente del otro y en cualquier dirección. Por lo que, mientras un ojo está buscando comida arriba, el otro puede estar examinando el suelo a la caza de insectos.

El que lo pasa mal de verdad es el insecto localizado por un camaleón. La larguísima y pegajosa lengua del camaleón, a veces tan larga como su cuerpo, puede salir disparada con gran puntería e increíble velocidad. Los pobres insectos son atrapados e introducidos en la boca del camaleón en casi menos tiempo del que nosotros tardamos en pestañear.

¿Cómo logra el jabón quitar la suciedad?

El agua y otros líquidos tienen una especie de película invisible a la que se llama *tensión superficial*. Es similar a la nata que se forma en la superficie de la leche o de las natillas, y permite que insectos pequeños, como los que flotan o nadan en la superficie del agua, puedan desplazarse por ella sin hundirse: pesan tan poco que la tensión superficial es lo suficientemente fuerte como para aguantar su peso.

La tensión superficial puede que sea estupenda para esos pequeños insectos, pero no nos ayuda a lavar nuestro cuerpo o nuestra ropa. Cuando introducimos las manos sucias o la ropa en agua, la tensión de superficie evita que la suciedad se disuelva.

El jabón precisamente es muy útil porque rebaja la tensión superficial y facilita que las partículas de suciedad se disuelvan en el agua. Por ello, el agua se ensucia a medida que nuestras manos o nuestra ropa se quedan limpias.

¿Por qué se rompen las tuberías con tiempo frío?

La contestación es simple y sencilla: porque no se las ha aislado adecuadamente para protegerlas contra el frío. Pero no se lo digas a tus padres justo cuando estén intentando recoger toda el agua de la gotera del tejado con cubos y toallas, después de una rotura de las tuberías.

La respuesta científica es que el hielo ocupa más espacio que el agua. Si se forma hielo dentro de una tubería, el aumento de tamaño consiguiente actúa como una fuerza de presión contra el interior de ésta. Si la presión es lo suficientemente fuerte, hace estallar la tubería.

Lo más molesto de todo es que no te enteras de la rotura hasta que el hielo se derrite y el agua empieza a correr de nuevo. Muy pronto te das cuenta de que el agua está saliéndose de la tubería rota y armando un follón en las habitaciones afectadas.

¿Con qué rapidez estornudamos?

Cuando respiramos con normalidad, el aire pasa a través de nuestra nariz a una velocidad aproximada de 7 kilómetros a la hora, la misma que una suave brisa.

Al sentir que vamos a estornudar, empieza a acumularse una cierta cantidad de presión; quizá intentemos evitar el estornudo, entonces la presión aumenta. Cuando no podemos contenerlo más, estornudamos fuertemente, alcanzado la fuerza equivalente a la de un huracán.

¿Por qué está salado el mar?

El agua de mar es una sustancia muy pura. Más del 96 por ciento es agua. Casi un 3 por ciento es sal común y el otro 1 por ciento está compuesto por pequeños restos de otras muchas sustancias. Todos estos elementos llegan al mar transportados por los ríos y se quedan en él.

El agua se evapora de la superficie, pero la sal queda disuelta en el agua. Por ello, los mares se están haciendo poco a poco más salados.

Algunos mares tienen mucha más sal que otros. Esto depende

de la cantidad de agua que se evapora. El mar Rojo, entre África y la península arábiga, está expuesto a un sol intenso durante todo el año. Pierde mucha agua por evaporación, lo cual lo hace seis veces más salado que el mar Báltico, que está en el norte de Europa, a una latitud mucho más elevada, y que apenas recibe la influencia del Sol. Lógicamente, en éste se evapora menos agua y la solución salina en el agua es más débil.

¿Cuánto aire respiramos en una vida de duración media?

La cantidad de aire que respiramos depende de nuestra mayor o menor actividad y, por lo tanto, de la cantidad de oxígeno que necesiten nuestros cuerpos. Un adulto normal en una situación relajada toma aire entre diez y catorce veces por minuto. De esta manera, inspiraría entre 5 y 6,8 litros de aire. Si se aumenta la actividad, los pulmones empiezan a bombear aire. El ejercicio físico fuerte nos hace jadear y nuestra toma sube a 90 litros de aire por minuto, con apenas uno o dos segundos para realizar cada inspiración.

Si calculamos todo el aire que necesitaremos en una vida media, veremos que resulta una cantidad impresionante. Cada uno de nosotros respirará una media de 376.900 metros cúbicos de aire. Si has visto alguna vez fotos de los gigantescos dirigibles que surcaban los cielos hace cincuenta o sesenta años, calcula que la cantidad de aire mencionada sería suficiente para llenar dos veces y media el modelo más grande.

¿Qué son los agujeros negros del espacio?

Nadie ha visto nunca un agujero negro y no es probable que alguien lo logre alguna vez. Existen sólo en forma de cálculos científicos complejos, pero la evidencia que se ha obtenido del estudio del universo sugiere que están por ahí, en algún sitio del espacio.

El principio de un agujero negro es que posee una fuerza de gravedad tan fuerte que nada puede salir de él, ni siquiera la luz, lo cual no es fácil de imaginar. Sin embargo, los astrónomos piensan que todo lo que cayera dentro de un agujero negro no podría volver a ser visto. ¡Qué horripilante! Creen que los agujeros negros se forman cuando estrellas gigantescas, incluso mucho más grandes que nuestro sol, llegan al final de su vida y se reducen. A medida que empequeñecen, se tragan todo lo que hay dentro de ellas hasta llegar a una densidad infinita.

La pista más importante que nos sugiere la existencia de agujeros negros han sido los rayos-X detectados por satélites fuera de la atmósfera terrestre. Estos rayos-X parecen proceder del gas que cae dentro de los agujeros negros, el cual se calienta tanto que emite dichos rayos. Este dato ayuda a señalar dónde podrían encontrase los agujeros negros en cada caso.

¿Qué avión puede alcanzar el doble de la velocidad de una bala de pistola?

En febrero de 1988, el avión supersónico Concorde hizo el trayecto Nueva York-Londres en menos de tres horas. Para lograrlo, tuvo que volar a más del doble de la velocidad del sonido. A menos que hayas cruzado el Atlántico en un avión más lento, estas cifras no te darán un idea palpable de la velocidad impresionante del Concorde.

Un ejemplo que puede ayudar es compararlo con una bala de pistola. La bala más rápida alcanza una velocidad de 1.100 kilómetros por hora aproximadamente. Si se observa con atención a alguien disparando a un blanco con una pistola, se puede comprobar la rapidez impresionante del disparo. Sin embargo, si se disparara una pistola a la cola de un Concorde en vuelo a la máxima velocidad, el avión se iría separando progresivamente de la bala. Al alcanzar una velocidad de 2.333 kilómetros por hora, el Concorde dejaría a la bala de pistola con dos palmos de narices.

¿Por qué la Roca Ayers se eleva de repente en medio del desierto australiano?

La Roca Ayers es una de las atracciones turísticas más llamativas de Australia. Tiene una longitud de 3 kilómetros y una altura de 348 metros, y está situada justo en el centro del continente australiano, rodeada por el inmenso desierto australiano, como una ballena varada. Se puede distinguir la Roca Ayers desde una distancia de casi 100 kilómetros. Por el día brilla con una luz rojiza, aunque la mejor hora para contemplarla es a la salida o la puesta del Sol. Es entonces cuando el color de la roca pasa por una fantástica variedad de matices, del rosa al rojo.

La Roca Ayers es un objeto sagrado para los aborígenes. Éstos la relacionan con su tradición ancestral de un Tiempo del Sueño, es decir, el tiempo en que fue creada la Tierra y todo lo que hay en ella. Los geólogos son de la opinión de que hace 500 millones de años el centro de Australia estaba cubierto por un océano, y que la Roca Ayers es lo que queda del antiguo fondo marino. La mayor parte de la roca está probablemente oculta bajo la superficie. Después de que el océano desapareciera, la zona circundante se convirtió gradualmente en el desierto que podemos ver en la actualidad, dejando la enorme masa rocosa en su solitario esplendor.

¿Por qué el Sol sufre eclipses algunas veces?

La visión del Sol desapareciendo en pleno día debió horrorizar a nuestros antepasados cuando menos se lo esperaban. La ciencia moderna nos enseña que estas desapariciones repentinas son los eclipses, pero antiguamente pensarían que el mundo se acababa.

Hubo un eclipse en concreto que tuvo justo ese resultado, llegando incluso a interrumpir por completo el desarrollo de una batalla en el Oriente Medio. El año fue el 585 antes de Cristo. En un bando estaba el ejército de la antigua Media y en el otro, el ejército de la antigua Lydia. Estaban en plena batalla cuando, de repente, el Sol se fue apagando hasta quedar borrado del cielo. La lucha se detuvo. Durante uno o dos minutos el día se hizo noche. Después, el Sol empezó a asomar de nuevo y volvió la claridad del día. Los dos ejércitos quedaron tan asombrados por el fenómeno del que habían sido testigos que rápidamente hicieron las paces.

En esa ocasión, como ocurre con todos los eclipses solares, la Luna se había colocado directamente entre la Tierra y el Sol, bloqueando los rayos del astro. Los eclipses totales, en los que de repente anochece, sólo tienen lugar en ciertas partes de la Tierra una vez cada cincuenta años. Los eclipses parciales, en los que la Luna sólo oculta una parte del Sol, tienen lugar con más frecuencia.

¿Cuántas personas pueden quedar hartas después de comerse una tortilla de huevo de avestruz?

Si te gustan las tortillas grandes o aparece un grupo de amigos a cenar en tu casa sin avisar, un huevo de avestruz puede ser justo lo que necesitas. Es más grande que cualquier otro huevo de ave:

uno solo equivale a dos docenas de huevos de gallina. Así pues, con un huevo de avestruz podrías hacer una tortilla para doce personas.

¿Por qué los jugadores de golf gritan: '¡Cuidado los de delante!' inmediatamente antes de golpear la bola?

Cuando oigas a alguien en un campo de golf gritar '¡Los de delante!', quítate de enmedio. Significa que el jugador está a punto de golpear la bola. Este grito, típico del golf, procede de un grito guerrero del pasado, '¡Cuidado los de delante!', que tenía precisamente ese significado, ya que hubo un tiempo en que los soldados formaban en dos filas para disparar al enemigo. La fila de delante disparaba primero; a continuación, la fila de atrás gritaba: '¡Cuidado los de delante!', avisándoles para que bajaran las cabezas mientras ellos apuntaban y disparaban.

¿Cuál es el origen de la frase 'Se reproducen como hongos'?

El grupo de plantas denominadas hongos son diferentes de las otras plantas por la forma en que se reproducen. En vez de nacer de semillas, se desarrollan a partir de unos organismos muy sencillos llamados esporas.

La proporción de esporas que tiene éxito en la reproducción es muy baja. Por ello, los hongos se ven obligados a producir literalmente millones de esporas para asegurarse de que algunas se desarrollen y lleguen a ser plantas. Una seta grande puede producir 16.000 millones de esporas, sin embargo, sólo unas cuantas germinarán y se convertirán en setas.

Cuando una espora viene a dar en un tipo de suelo adecuado, lanza unos hilos finos como si fueran ramas de un árbol, llamados hifas, que acaban formando una densa red bajo tierra. Unas pequeñas bolas blancas aparecen en esta red y presionan hacia arriba hasta asomar en la superficie y hacerse setas. Una vez que estas nuevas setas crecen y tienen los típicos paraguas en la parte superior, comienzan a soltar esporas propias que continúan el proceso de reproducción.

¿Por qué a veces parece que las ruedas de los vehículos que salen en las películas giran al revés?

Imagínate la escena. Una diligencia está atravesando el lejano oeste. La cámara se acerca para ofrecernos un primer plano, y por alguna razón inexplicable, nos parece ver que las ruedas están dando vueltas en sentido contrario. Sabemos que no puede ser así, porque la diligencia estaría desplazándose hacia atrás; sin embargo, nuestros ojos no nos están engañando: la escena se puede ver nítidamente sobre la pantalla. Entonces, ¿qué está ocurriendo aquí?

El problema es que las ruedas del carruaje se están moviendo más lentamente que la película dentro de la cámara. Si fueran a la misma velocidad que el carrete, en la pantalla no distinguiríamos movimiento alguno, lo que sería todavía más absurdo. Sólo cuando las ruedas se mueven más rápidamente que el carrete es cuando se ve que dan vueltas hacia delante.

¿De qué está compuesto el aire?

El oxígeno es esencial para la vida. Así pues, causa una pequeña sorpresa saber que supone sólo algo más de la quinta parte de la composición del aire que respiramos. Más de tres cuartas partes son de nitrógeno.

Estos dos gases juntos forman el 98 por ciento del aire. El argón, uno de los gases utilizados en las lámparas fluorescentes, llega casi al 1 por ciento. Lo que queda para llegar a cien lo aportan cantidades ínfimas de otros gases como el neón, el helio y el metano.

¿Qué ocupa más espacio en nuestro planeta: la tierra o el agua?

Aproximadamente algo más del 70 por ciento de la superficie terrestre está cubierta por agua, o, lo que es igual, algo menos del 30 por ciento está ocupado por tierra.

La mayor zona de agua es el océano Pacífico, que es gigantesco incluso comparado con otros océanos. Contiene más de la mitad del agua salada del planeta y ocupa más de un tercio de la superficie de la Tierra. Para que se entienda mejor, podemos decir que el Pacífico es tan grande que es tres veces mayor que Asia, el continente más extenso de la Tierra.

¿Por qué tienen color las flores?

Las flores tienen color por la misma razón que tienen olor: para atraer a los insectos. A nosotros nos gusta el color de las flores, y también a los insectos que se alimentan del néctar.

Claro que las flores no son de distintos colores únicamente para hacer felices a los insectos, sino porque son los insectos los que transportan el polen entre las flores para que se produzca la fertilización.

Algunas flores llegan incluso a tener señales especiales que los conducen hacia el polen. Estas señales son sólo visibles a los ojos de los insectos, pero es que, para las flores, los insectos son mucho más importantes que tú o que yo.

¿Por qué hay un año bisiesto cada cuatro?

¿Cuántos días hay en un año normal? La contestación es 365, ¿no? Bueno, pues ese es el número que nosotros usamos por conveniencia, aunque estrictamente hablando, no es exacto. En realidad, la Tierra tarda 364 días y 1/4 en dar la vuelta alrededor del Sol. Así pues, cada cuatro años se añade un día extra a febrero para igualar la diferencia que se acumula. De esta manera, nuestro calendario se mantiene al unísono con el calendario astronómico, que es el que siguen la Tierra y el Sol.

¿Qué partes del cuerpo humano crecen más?

Cómo se puede adivinar perfectamente, es una competición entre el pelo y las uñas. Mirando las cifras, se puede comprobar que es una carrera bastante desigual, porque el cabello es el claro ganador. El pelo de nuestras cabezas crece unos impresionantes 12,045 centímetros al año, ó 0,33 milímetros al día. Las uñas sólo logran crecer 0,10 milímetros al día.

¿Por qué no coincide el polo norte magnético con el Polo Norte?

La próxima vez que vayas andando cansinamente hacia el Polo Norte, recuerda que tienes que hacer ciertos ajustes en lo que te dice tu brújula. De lo contrario, acabarás en un lugar al que no querías ir.

El hecho de tener dos polos norte es confuso, pero no hay más remedio que aceptarlo. Uno es el polo norte magnético y el otro el verdadero Polo Norte, al que todo el mundo quiere llegar, y que está en la parte superior de nuestro planeta, en el extremo norte de la línea imaginaria que pasa por el centro de la Tierra y sobre la que ésta gira. En el otro extremo tenemos el Polo Sur.

Cuando la Tierra gira, los movimientos de su corteza exterior de roca fundida producen un campo magnético que se concentra en los polos magnéticos norte y sur. Como la Tierra gira en realidad sobre un eje ligeramente distinto del imaginario que hemos mencionado, el norte magnético está en algún lugar del norte de Canadá, a unos 2.570 kilómetros de distancia del Polo Norte. El sur magnético está a la misma distancia del Polo Sur verdadero.

La situación de los dos polos magnéticos varía un poco cada año, porque la Tierra varía ligeramente la posición de su eje. Al tomar en cuenta estos pequeños cambios, los navegantes pueden viajar alrededor del mundo con sus brújulas, confiados en que la aguja siempre señalará el polo norte magnético.

¿Por qué el agua del mar es de color azul en un día soleado, pero es incolora cuando la coges con las manos?

La explicación tiene que ver con la luz y con lo que ocurre con ella cuando incide sobre el agua. Cuando la luz brilla sobre una superficie, algunos rayos se absorben y otros se reflejan. La luz que se refleja es la que da a las cosas su color: La hierba es verde porque refleja los rayos verdes de la luz y absorbe los demás.

Cuando la luz brilla sobre el agua, los rayos rojos son los que quedan más absorbidos, y los azules, los menos. Así pues, la luz azul es reflejada y el agua parece azul.

Sin embargo, esto sólo ocurre cuando hay una profundidad

mínima de más de 3 metros. Ponte de pie en la playa, con el agua del mar azul lamiéndote los tobillos solamente, ¿a que no es azul? Claro que es incolora. Si tienes oportunidad de estar en alta mar, coge agua en tus manos. También entonces es incolora.

Si pudiéramos ir volando hasta el Sol, ¿cuánto tiempo tardaríamos en llegar?

La distancia entre la Tierra y el Sol varía, pero en números redondos se puede decir que es de 149.600.000 kilómetros, una distancia considerable, dicho de otra manera. Si fuera posible realizar el viaje en el avión más rápido del mundo, el Concorde, necesitaríamos siete años y ocho meses de vuelo ininterrumpido.

El Concorde viaja a unos 2.300 kilómetros por hora, el doble de la velocidad del sonido, y hace el trayecto Nueva York-Londres en menos de tres horas. Efectivamente, ir en avión hasta el Sol no es una fruslería.

¿Son ciegos los murciélagos?

A pesar de la expresión popular 'más ciego que un murciélago', estos animales no están ciegos en absoluto. Al contrario, son capaces de ver bastante bien, pero, como vuelan sobre todo por la noche, cuando nosotros tenemos problemas de visión, la gente ha supuesto incorrectamente que tampoco ellos pueden ver.

Los murciélagos no tienen una necesidad real de poder ver dónde van, como pudiéramos suponer. Evitan chocar contra los objetos en la oscuridad gracias a una especie de sistema de radar, con el cual emiten un torrente de sonidos agudos que, al chocar contra los objetos que están en su trayectoria, rebotan; los murciélagos pueden entonces recoger el sonido y procesarlo, localizando los obstáculos a evitar.

¿Qué cantidad de sangre envía el corazón por nuestro cuerpo?

El corazón de un adulto medio late entre sesenta y ochenta veces por minuto. Eso significa algo así como unos 40 millones de latidos por año. Hay unos 6 litros de sangre circulando por el cuerpo de un adulto medio, y con cada latido, el corazón admite y envía 130 cc de sangre. Ve sumando y descubrirás que en un día, han circulado por nuestro cuerpo un total de 13.000 litros de sangre.

¿Por qué tienen espinas los cactos?

Los cactos crecen principalmente en las zonas secas y ardientes de América, como se puede ver en las películas del oeste. Apenas hay otras plantas que puedan desarrollarse en estas condi-

ciones. Los cactos sobreviven porque son duros y resistentes: en lugar de tener hojas, almacenan agua en sus espinas. Pero éstas tienen también otra finalidad: protegerlos de los animales que podrían comérselos cuando tuvieran sed.

¿Por qué el lunes es el martes al otro lado de la Tierra?

Como el Sol sale a horas distintas en los distintos sitios del mundo, la hora varía de un lugar a otro. Esto no fue un problema hasta que la gente empezó a viajar a grandes distancias; entonces se hizo necesario saber en qué día estaban. Por ello se decidió crear una línea imaginaria para dividir un día de otro. A esta línea se la llama Línea Internacional de Cambio de Fecha y va de norte a sur, rozando el meridiano 180, justo al lado contrario del punto donde está el meridiano 0, que pasa por Greenwich.

Hay varias islas situadas en medio, por lo que la línea zigzaguea a su alrededor. Gira hacia el este de las Islas Aleutianas en el norte, y hacia el oeste de las Islas Fiji, Tonga y las Chatham.

La gente que viaja y cruza la Línea Internacional de Cambio de Fecha hacia el este tiene que retrasar sus relojes un día. La gente que la cruza hacia el oeste tiene que adelantarlos un día.

¿Por qué es azul el cielo?

El cielo es de color azul por la misma razón que el mar también es azul. La luz se compone de siete colores: rojo, naranja, amarillo, verde, azul, añil y violeta. Cada uno de estos colores tiene una longitud de onda distinta. Seis pasan directamente a través de la atmósfera, pero, a causa de su longitud de onda, la luz azul rebota en las pequeñas partículas de polvo que hay en el aire. Cuando esto ocurre, parte de la luz es reflejada en dirección a la Tierra y hace que el cielo parezca de color azul, siempre que no haya nubes, claro.

¿Por qué en tenis se utiliza la puntuación *'love'*, 'quince', 'treinta', 'cuarenta' y *'deuce'*?

¿Qué significa el tenis para la mayor parte de nosotros? ¿Las estrellas de ese deporte que ganan millones de pesetas en premios? ¿Contratos supermillonarios de publicidad? ¿Viajes por todo el mundo para jugar en los campeonatos más importantes? El tenis moderno es todo eso y mucho más; parece haberse alejado mucho del juego tal como se entendía en la época medieval.

Y es que este deporte, en el fondo, es un juego medieval con un sistema de puntuación medieval. El tenis ha sido un deporte popular desde hace siglos, y hace casi cuatrocientos años, la ciudad de París contaba ya con más de mil pistas de tenis.

En el sistema de puntuación original, los jugadores tenían que ganar cuatro puntos para ganar un juego y cuatro juegos para ganar un set. Con bastante frecuencia, los puntos se registraban sobre la cara de un reloj, haciendo que cada cuadrante valiera un punto. Por esta razón, se hizo moneda común referirse al primer punto como quince, porque era el primer cuadrante. Treinta se convirtió en el segundo punto por la misma razón. Cuarenta y cinco se acortó a cuarenta que señalaba el tercer cuadrante. El juego se ganaba cuando la manecilla cubría el cuarto cuadrante del reloj.

'Love' es otro término que se utiliza para indicar 'nada', 'ningún punto' o también ningún juego ganado en el set. Parece posible que pueda proceder de la pronunciación en inglés de la palabra francesa *l'oeuf*, que quiere decir 'huevo'. Quizá la forma oval de un cero hacía pensar a la gente en un huevo.

El tenis también tiene otra puntuación curiosa: *'deuce'*, que probablemente viene de *deux*, la palabra francesa que quiere decir 'dos'. Se utiliza cuando ambos jugadores (o parejas en los dobles) empatan a cuarenta, y gana el juego el que logre dos puntos seguidos.

¿Hay alguna palabra que contenga las cinco vocales?

Puede que tardes bastante tiempo rebuscando en el diccionario, pero seguro que encuentras alguna. Nosotros, a modo de pista, te ofrecemos un ejemplo: Murciélago. Compite con tus amigos para encontrar alguna más.

¿Mueren en algún sitio las ondas del sonido y las de la luz?

La contestación es sí y no, y no me estoy haciendo el listo a sabiendas. Las ondas del sonido sí se extinguen, pero las ondas luminosas no lo hacen nunca.

Las ondas sonoras se comportan como las pequeñas ondas que aparecen en un estanque después de tirar una piedra dentro: se van haciendo menos pronunciadas a medida que se van alejando del punto donde entró la piedra. Finalmente, desaparecen por completo, ya que el agua tiene una cierta capacidad de fricción, que reduce el ímpetu de las ondas hasta que desaparece agotado.

El aire también tiene un cierto elemento de fricción, pero menor que el del agua. Esta fricción reduce la fuerza de las ondas sonoras de la misma manera.

Si las ondas sonoras no se extinguieran, sería posible 'adelantarlas' en un avión que volara más rápido que la velocidad del sonido. ¡Imagínatelo! Si fueras volando a la velocidad precisa y durante el tiempo que fuera necesario, podrías alcanzar algunos de los grandes sonidos de la historia: batallas, erupciones volcánicas y un largo etcétera.

Las ondas de la luz son un tema muy distinto. La fricción no les afecta. Así, si pudiéramos ir a mayor velocidad que la luz podríamos ver cosas del pasado. Claro que hay un problema y es que la luz se desplaza a la impresionante velocidad de 300.000 kilómetros por segundo. Pensar en adelantarse a esa velocidad es la clase de fantasía que será un sueño durante mucho tiempo, probablemente siempre.

¿Cómo surgieron los nombres de los meses?

Tenemos que agradecérselo a los romanos. Dedicaron enero al dios Jano, que era quien cuidaba la entrada en cada año. Para llevar a cabo esta misión, Jano tenía dos caras: con una podía mirar hacia atrás al año pasado, mientras que con la otra miraba hacia delante al nuevo año. Febrero era el mes de la purificación en la Roma antigua y la palabra procede del latín con el significado de 'purificar mediante el sacrificio'. Marzo se llama así en honor de Marte, el dios de la guerra.

La primavera comienza a dejarse notar en el cuarto mes. Las plantas y los árboles empiezan a mostrar su esplendor, la tierra comienza a revelar nueva vida. Así pues, este cuarto mes fue llamado abril, probablemente utilizado la palabra latina *aprire* con el significado de 'abrir'.

Maia era la bella diosa romana encargada del crecimiento, lo cual la hizo ideal para nombrar el mes que ahora llamamos mayo. Otra diosa romana de nombre Juno probablemente dio su nombre al sexto mes, junio.

Sin embargo, no hay absoluta certeza sobre esto, porque también puede que el origen fuera Junius, un nombre que tiene que ver con la juventud.

Hay mucha más seguridad con los meses de julio y agosto. Los dos fueron nombrados en honor de famosos personajes romanos. Julio en honor de Julio César, y agosto en honor del emperador Augustus, que fue el primer emperador de Roma y creyó que el octavo mes del año era su mes afortunado.

Después de agosto, parece que los romanos se quedaron sin ideas. Septiembre, octubre, noviembre y diciembre fueron nombrados utilizando las palabras latinas séptimo, octavo, noveno y décimo. El calendario romano tenía primero sólo diez meses, y hasta el momento en el que se añadieron enero y febrero para llegar a doce meses, el año solía empezar en marzo, por lo que septiembre era el mes séptimo, y así sucesivamente hasta el final del año.

¿Por qué flota el hielo en el agua?

Porque el agua no se comporta como otras sustancias, que tienden a contraerse cuando se hielan, sino que aumenta más de una décima parte de su volumen. Por ello, en vez de hundirse, flota.

Este aumento de tamaño es también la causa de que las cañerías se rompan cuando el agua se ha helado dentro, como puedes leer en la página 52.

¿Por qué no podemos ver nunca el lado oculto de la Luna desde la Tierra?

La Luna gira alrededor de la Tierra, como todo el mundo sabe hoy, y tarda 29 días en completar cada vuelta. Al mismo tiempo, también da vueltas sobre sí misma, y tarda casi el mismo tiempo en hacerlo.

Así pues, mientras que la Luna está girando alrededor de la Tierra, gira sobre su eje a la misma velocidad, con lo que siempre nos ofrece el mismo lado de su superficie.

Nadie había visto nunca la cara oculta de la Luna hasta 1959, en que una sonda espacial llegó hasta ella por primera vez y remitió fotografías. Hasta cierto punto, fue una especie de gran desilusión. No había un solo habitante, ni estaba hecha de queso. El lado oculto de la Luna tenía la misma apariencia que el que podemos ver.

La diferencia principal es que no hay en él ninguna planicie extensa y oscura de las llamadas 'mares' porque, aunque no hay agua en ellos, ni la han tenido en el pasado, tienen unas superficies extremadamente planas, al igual que los océanos de la Tierra.

¿Por qué se conduce por la derecha en unos países y por la izquierda en otros?

Ésta es una pregunta que se deben haber hecho muchas veces los fabricantes de coches, especialmente en tiempos de actividad febril. La contestación no es como para aliviarles. Parece que todo se remonta a la época en que los caballos, y no los coches, eran los reyes de la carretera, y además esta relacionado con el hecho de que hay más personas diestras que zurdas.

La respuesta razonada viene a explicar que en Inglaterra y otros países que la imitaron, los cocheros y carreteros iban sentados en el lado derecho de sus carrozas, carros y carromatos. De esta manera disponían de sitio suficiente para usar sus látigos sobre los caballos.

Cuando se cruzaban con otro vehículo que venía en dirección opuesta, de manera natural se desviaban hacia la izquierda, porque de este modo, los dos conductores podían ver lo que hacían los dos tiros de caballos. Cuando se ensancharon las carreteras, la gente se habituó a desviarse hacia el lado izquierdo de la carretera. Por lo menos, eso es lo que sostiene la teoría.

En los demás países europeos y en América del Norte la tradición de conducción era distinta. En vez de sentarse en el vehículo, los conductores se sentaban sobre uno de los caballos y controlaban el resto del tiro desde la silla de montar. El mejor caballo donde sentarse era el de atrás de la izquierda del tiro. Por eso, cuando una carroza se encontraba con otra, lo natural era desviarse hacia la derecha, porque, igual que antes, esto daba a los conductores control visual de todos los caballos en el momento del cruce.

En los dos casos, la tradición se transmitió de los caballos a los vehículos de motor.

¿Por qué la luna de miel se llama luna de miel?

En una época anterior se le llamaba *mes* de miel. Según una vieja costumbre alemana, se solía tomar una bebida hecha de miel durante treinta días después de una boda. La bebida ha desaparecido casi totalmente en nuestros días, pero ha quedado el nombre.

¿Por qué tienen jorobas los camellos?

Antes de que contestes con un grito de triunfo, te diré que no es para almacenar agua. Ciertamente, es verdad que los camellos pueden almacenar cantidades ingentes de agua, ya que no en vano son capaces de beber más de 90 litros en diez minutos. Pero no la guardan en las jorobas. Éstas son almacenes de alimento, bueno, más bien de grasa, hablando con exactitud.

En medio del desierto, sin nada que comer o beber durante días sin término, un camello puede vivir del agua almacenada en su estómago, de la misma manera, la grasa de su joroba le proporciona la nutrición que necesita. Cuando los camellos están sanos y fuertes, tienen unas jorobas grandes y firmes; sin embargo, al final de un largo viaje por el desierto, cuando han utilizado todas las reservas de grasa, las jorobas están fláccidas y colgantes.

¿Cómo se mueven los glaciares?

El glaciar más largo del mundo se extiende a lo largo de 400 kilómetros de longitud, atravesando las planicies heladas de la Antártida. En su punto más ancho mide 64 kilómetros de lado a lado. Al igual que cualquier otro glaciar sobre la tierra, es un enorme río de hielo con una profundidad de varios cientos de metros.

Los glaciares son el resultado de la nieve acumulada durante millones de años en las montañas. Esta nieve se amontona capa sobre capa, haciendo que la capa más inferior se convierta en hielo por el peso soportado. A la larga, empieza a deslizarse lentamente ladera abajo. El proceso por el cual el hielo se derrite y se vuelve a helar debajo del glaciar da lugar a este lento y continuo movimiento. Hasta cierto punto, el hielo se comporta como una especie de lubricante.

Cuando hablamos de glaciares, tenemos que hablar de lentitud, pero de lentitud desesperante. En Groenlandia, un glaciar supera a todos los demás del mundo. Avanza a una velocidad 'impresionante' de 24 metros por día, que quiere decir un metro a la hora.

Sin embargo, si piensas en la masa de hielo —millones de toneladas— que tiene que arrastrar, no es una velocidad tan mala.

¿Por qué a veces sentimos un fuerte tirón en las piernas justo cuando estamos a punto de dormirnos?

Probablemente sepas de qué estoy hablando. Imagínate que estás en la cama, calentito y muy a gusto. Los párpados empiezan a pesarte. Estás a punto de quedarte frito. De repente, la pierna da una patada sin razón alguna. Bueno, los médicos han dado una respuesta; pero desconocen la razón última.

Lo que da a los músculos de nuestras piernas ese saludo final de buenas noches son los nervios que los recorren, los cuales transmiten las señales de nuestro cerebro a los músculos. Las señales son emitidas en formas de pequeños impulsos eléctricos.

Por alguna razón desconocida, un haz grande de nervios es activado al mismo tiempo, justo en el momento en que nos estamos quedando dormidos; de esta forma, todos los nervios reciben una descarga eléctrica simultáneamente. Los músculos de la pierna se activan y nos incorporamos en la cama, despertados por cualquiera de nuestras dos extremidades y con una sensación de cierto aturdimiento.

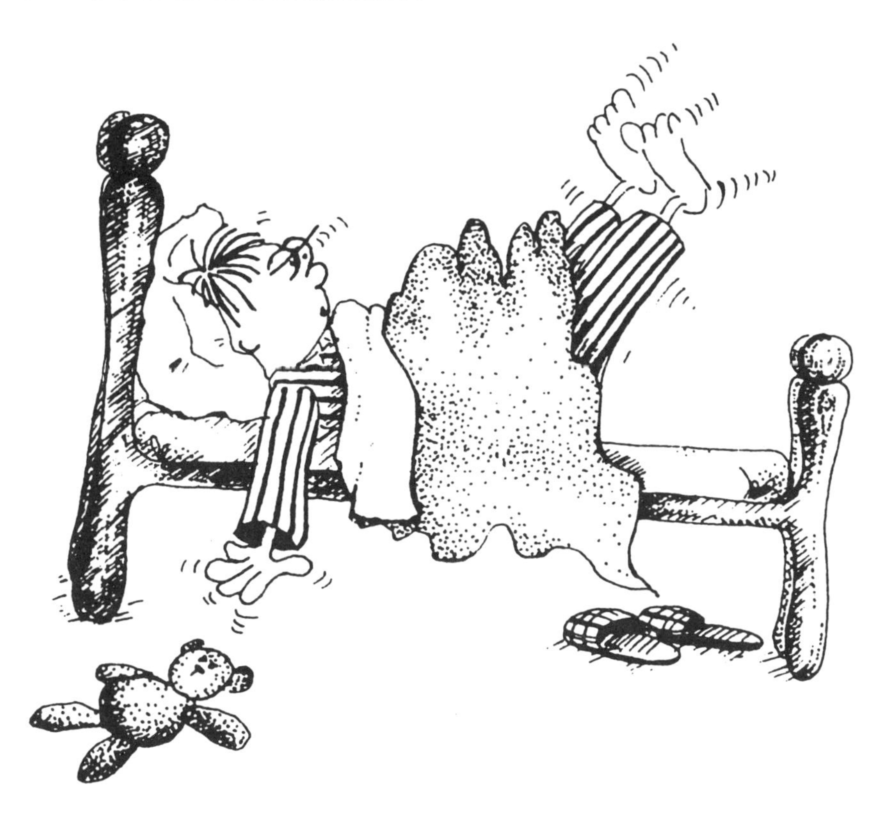

¿De dónde surgió la idea de los huevos y los conejos de Pascua?

Hace unos 150 años aproximadamente, los fabricantes de chocolate de Europa empezaron a hacer conejos y huevos de chocolate en Pascua. Querían que simbolizaran la nueva vida que llegaba con la primavera.

La idea gustó y, poco a poco, el huevo y el conejito de primavera se unieron al significado de la Pascua. Finalmente, se convirtieron en símbolos de esta fiesta, y la relación con la primavera se olvidó por completo.

¿Cómo puede un grillo indicarte la temperatura?

Los grillos son muy sensibles a la temperatura ambiente, tanto que pueden comportarse como verdaderos termómetros. Los grillos son de sangre fría y sus cuerpos funcionan con mayor o menor actividad, según el frío o el calor que haga en su entorno. La relación entre actividad y temperatura es extremadamente exacta en estos pequeños seres.

Haciendo un poco de cálculo aritmético mental es posible conocer la temperatura en grados Fahrenheit contando los chirridos de un grillo.

Hay dos modos de hacerlo: puedes contar el número de chirridos por minuto y a continuación restar cuarenta; después, dividir por cuatro y finalmente sumar cincuenta. El número que te dé es la temperatura en grados Fahrenheit. Éste es el sistema más exacto.

El otro método, más sencillo pero menos exacto, es contar el número de chirridos que el grillo emite en catorce segundos y luego sumar cuarenta.

En ambos casos, tendrás que hacer nuevos cálculos para pasar la temperatura de grados Fahrenheit a grados centígrados. Para ello hay que restar treinta y dos de la cifra de Fahrenheit y dividir entre 1,8. El resultado serán los grados centígrados.

Claro que no se puede decir que estos sistemas sean muy rápidos, y quizá sólo convenzan a los chicos con espíritu aventurero. Pero estando en el campo y sin tener un termómetro cerca... son un buen recurso.

¿Dónde van las moscas en invierno?

La mayor parte marchan 'al cielo de las moscas'. En ese caso, se podría preguntar a continuación, ¿por qué hay tantas moscas el verano siguiente? El tema es que no se mueren todas. Algunas sobreviven; de ellas, unas aguantan todo el invierno y otras llegan hasta la primavera como larvas o crisálidas.

En cuanto el tiempo se hace un poco templado, las moscas 'supervivientes' se dedican a aumentar su número. Y lo hacen a una velocidad pasmosa. Un cálculo: una pareja de moscas puede dar lugar a más de 300.000.000.000.000 mosquitas en una sola temporada. Por eso hay tantas moscas el verano siguiente.

¿Por qué las burbujas son siempre redondas?

Las burbujas son redondas porque una de las leyes de la ciencia establece que así lo sean. Según ésta, cualquier disposición de materia en la que las partículas puedan moverse con cierta holgura, siempre forma una figura física que necesita la menor cantidad posible de energía. Es una ley lógica intrínseca.

Veamos el caso del agua. Si derramas cierta cantidad en el suelo, intenta extenderse formando la capa más fina posible, porque de esta manera utiliza la mínima energía. Las gomas elásticas se comportan de igual manera. Si las estiras, tienden a contraerse de nuevo porque así reducen el gasto total de energía hasta un mínimo.

Siguiendo este principio, las burbujas se mantienen con su forma redonda por la tensión superficial, la misma fuerza que hace que una aguja flote sin hundirse en un vaso de agua. La tensión superficial tira de la superficie de una burbuja mientras ésta intenta de manera constante reducir su tamaño, y, al hacerlo, también reduce la cantidad de energía necesaria para mantener la forma esférica.

¿Qué animal es capaz de girar una vuelta completa su cabeza?

Los búhos, y son los únicos animales que pueden hacerlo.

Los búhos tienen una vista estupenda, pero sus ojos sólo se pueden mover mínimamente en sus órbitas.

Para equilibrar este fallo, pueden girar sus cabezas 360 grados, por lo que les es posible ver perfectamente lo que hay detrás de ellos.

¿Cuál fue la explosión más sonora en la historia reciente del mundo?

En la Historia ha habido explosiones impresionantes. Las ocasionadas por el hombre con bombas resultan ensordecedoras para los que están cerca, pero no son nada comparadas con algunos de los sonidos de la naturaleza.

Ciertamente, las más sonoras son las erupciones de volcanes. Se considera que la erupción más fuerte ha sido la del volcán de la isla indonesia de Krakatoa.

Krakatoa era una isla de 28 kilómetros cuadrados, que tenía un volcán con una altura de 820 metros. El volcán había estado inactivo durante más de doscientos años, cuando entró en erupción en mayo de 1883.

Tres meses después volvió a entrar en erupción: exactamente el 26 de agosto. Y al día siguiente, estalló con una explosión tan violenta que partió la isla en dos. Las dos terceras partes de la isla desaparecieron en medio de una nube gigantesca de polvo y roca. Esta nube alcanzó una altura de 55 kilómetros, con la consecuencia de que el sol fue tapado totalmente por ella y una zona de 280 kilómetros de diámetro quedó sumida en la oscuridad.

Como si eso no fuera bastante, la erupción causó una *tsunami* —ola gigante— de más de 30 metros de altura, que salió disparada por el mar, destrozando todo lo que encontraba a su paso. Se calcula que esta gigantesca ola se desplazó a una velocidad de 1.120 kilómetros a la hora, sepultando más de 160 pueblos y matando a más de 36.000 personas. Los restos de la ola llegaron hasta las costas de Australia y California, a miles de kilómetros de distancia.

El ruido de la impresionante explosión se oyó en más de una decimotercera parte de la superficie de la tierra. Gente que vivía a casi 5.000 kilómetros de distancia creyó que estaban escuchando el estallido de una batalla naval.

La erupción del Krakatoa está bien documentada, por eso sabemos mucho sobre ella. Los científicos creen que en la antigüedad se produjo una erupción cinco veces mayor que la del Krakatoa: la de la isla griega de Santorini, en el Mar Egeo. La explosión hizo añicos la mayor parte de la isla más de 1.600 años antes del nacimiento de Cristo.

¿Cómo surgió la expresión OK?

OK fue utilizada por primera vez en América. Apareció en 1839, escrita en un periódico de Boston. En esa época varios periodistas de la ciudad lo estaban pasando en grande abreviando palabras que habían escrito con faltas de ortografía a sabiendas. Utilizaron OW para 'oll wright', que escrito bien es 'all right'. OK era la forma abreviada de 'oll korrect', o 'all correct'.

Poco tiempo después, un grupo de políticos de Nueva York utilizó estas siglas para nombrar un nuevo club que habían creado, al que llamaron Club Democrático OK, y OK llegó a ser una especie de contraseña entre los miembros.

En el mismo año, 1840, los americanos tenían que elegir un nuevo presidente. Uno de los candidatos era el presidente Martin Van Buren, que pretendía ser reelegido. Su apodo era el Viejo (Old) Kinderhook, por el nombre del lugar donde había nacido.

La coincidencia venía de perlas y en todo el país sus seguidores echaron mano de OK como grito de guerra de la campaña. ¡Qué lástima que Martin Van Buren perdiera las elecciones!

Sin embargo, su derrota no afectó a la popularidad de la expresión que, con el significado de 'todo bien' o 'de acuerdo', no ha cesado de extenderse por todo el mundo desde entonces.

¿Qué tiene de divertido el hueso de la risa?

Nada, excepto su nombre. El hueso de la risa no es un hueso. En realidad es un punto del codo donde hay un nervio muy cercano a la piel, por lo que casi está desprotegido y se presta a roces y golpes. El hueso que está encima de él, en la parte superior del brazo, es el húmero. En algún momento, 'húmero' pasó a ser 'humor', y el nervio se convirtió en un hueso. El resultado de todo esto fue el término 'hueso de la risa'.

¿Por qué respiran las ballenas en la superficie del agua?

Aunque las ballenas parecen peces, están emparentadas contigo y conmigo. Todos somos mamíferos, al igual que las marsopas y los delfines. Las ballenas son animales de sangre caliente, como nosotros.

Carecen de piel con pelo para mantener su temperatura caliente, al igual que muchos mamíferos que viven en la tierra. En su lugar, las ballenas tienen una gruesa capa de grasa aceitosa bajo su piel, además de un corazón como el tuyo y el mío, con dos lóbulos y cuatro ventrículos.

Lo que realmente les diferencia de los peces es que las ballenas respiran. Los peces consiguen el oxígeno que necesitan al pasar el agua por sus branquias. Sin embargo, las ballenas lo hacen con pulmones similares a los nuestros, sólo que pueden resistir mucho más tiempo debajo del agua. Cada vez que necesitan respirar tienen que subir a la superficie, igual que nosotros cuando estamos buceando.

Las ballenas expulsan el aire de una manera más llamativa que nosotros. Cuando llegan a la superficie, lanzan un chorro de vapor que parece más bien una fuente o un géiser. Este vapor es el aire que sale de su nariz, el cual al entrar en contacto con el aire frío se condensa.

Una vez que el aire ha sido expulsado, la ballena toma aire de nuevo y vuelve a sumergirse.

¿Por qué aparece el arco iris?

Varias cosas tienen que ocurrir para poder ver un arco iris. Tiene que estar lloviendo, tiene que haber sol y tienes que estar de espaldas al sol. El arco iris que verás entonces estará formado por las gotas de lluvia que dividen la luz en sus diversos colores: rojo, naranja, amarillo, verde, azul, añil y violeta.

También es posible ver con frecuencia un *arco iris secundario* (de menos fuerza en el color) junto al arco iris propio. En el primero, el rojo está en la banda exterior y el violeta en el interior. En el arco iris secundario los colores están invertidos.

¿Por qué no nacen niños en el país más pequeño del mundo?

El país más pequeño del mundo tiene una superficie total de sólo 44 hectáreas. Es tan pequeño que está completamente rodeado por la capital de otro país. Si todavía no has adivinado cuál es, la respuesta es el Vaticano, que está situado dentro de la capital italiana: Roma.

Aunque sea tan pequeño, el Vaticano sigue siendo un país independiente. Sólo viven allí mil habitantes, la mayor parte, miembros del clero y religiosos católicos, que guardan el celibato; esto quiere decir que para servir mejor a Dios y a los demás, no se casan ni tienen hijos.

¿Qué causa tienen las manchas solares?

De vez en cuando, aparecen unas manchas oscuras en la superficie del Sol. Algunas son bastante pequeñas, con unos 2.000 kilómetros de diámetro, mientras que otras, más grandes, alcanzan un diámetro de 100.000 kilómetros en la superficie solar. Parecen oscuras porque tienen menos temperatura que el gas que las rodea, exactamente unos 1.700 °C menos.

Probablemente, están causadas por fuertes campos magnéticos que bloquean temporalmente el flujo de calor que sale a la superficie solar. No se pueden ver sin ayuda de un telescopio, por lo que no debes probar a ver si las ves. NUNCA se debe mirar al Sol directamente. Podrías hacer un daño irreparable a tus ojos.

¿Qué araña es más grande que la mano de un hombre?

El miedo a las arañas se llama aracnofobia. Quizá quieras saberlo antes de seguir leyendo.

Si no te gustan las arañas grandes, o te dan asco, no te acerques al noreste de América del Sur. Allí está la zona donde vi-

ven las arañas gigantescas. La más grande que se ha capturado tiene el nombre encantador de araña Goliath y es comedora de pájaros. Tenía una anchura de 27 centímetros, con un cuerpo de más de 10 centímetros.

¿En qué se diferencian un mono y un simio?

¡En la cola! Los monos tienen cola, normalmente larga, pero los simios no tienen cola, o tienen una cola tan corta que no es visible.

¿Cómo vuelan los globos?

Se puede hinchar un globo con aire caliente o gas. En ambos casos, el aire o el gas tiene que ser más ligero que el aire que hay fuera. He aquí la regla básica del vuelo en globo.

Los globos modernos de aire caliente son inflados con aire calentado mediante un quemador de gas. Como el aire caliente se eleva, el globo se levanta del suelo en el mismo momento en que contiene suficiente aire caliente para poder con el peso del cesto, bombonas de gas y pasajeros.

Pero el aire no permanece caliente para siempre. A medida que se enfría, el globo empieza a perder altitud; por lo que el piloto se ve en la necesidad de calentarlo de nuevo, utilizando el quemador de gas cada vez que quiera subir más alto.

El gas que normalmente se usa para hinchar globos es el helio, que, al ser más ligero que el aire, no necesita un quemador de gas para producir el aire caliente. Los dirigibles también utilizan helio.

Cuando el piloto de un dirigible quiere aterrizar, tiene que dejar que entre el aire de la atmósfera dentro del globo para que la aeronave descienda.

¿Por qué los jardineros cultivan plantas en los invernaderos?

Los invernaderos ayudan a los jardineros a cultivar plantas que normalmente no podrían cultivar en sus jardines, además de otras que no crecerían en el exterior durante la temporada fría del año, sobre todo en los países norteños, donde con mucha frecuencia hay heladas por la noche.

El cristal de los invernaderos es el secreto de su éxito. El cristal deja entrar la luz y el calor del sol, lo que da energía para que las plantas crezcan. También protege contra el viento frío. Si además tiene algún sistema de calefacción, es posible cultivar plantas que necesitan mucho calor, como la vid, en países donde normalmente no sobrevivirían a la intemperie.

¿Por qué un día en Mercurio dura la mitad de un año en la Tierra?

No todos los planetas se desplazan a la misma velocidad. La Tierra gira sobre su eje dando una vuelta completa cada veinticuatro horas. Al mismo tiempo da vueltas alrededor del Sol, tardando 365 días, más o menos, en completar cada vuelta.

Mercurio es el planeta más cercano al Sol. Tarda en dar una vuelta completa a su alrededor sólo 88 días de la Tierra, lo cual lo convierte en un año más corto que el nuestro. Sin embargo, por otra parte, cada día en Mercurio es increíblemente largo, ya que el planeta gira muy lentamente sobre su eje.

De hecho, si uno pudiera estar en un sitio determinado de Mercurio sin moverse, el intervalo entre la salida y la puesta del Sol sería de 176 días, o dicho de otra forma, dos años de Mercurio.

¿Por qué toma la policía las huellas dactilares?

Fíjate en el dibujo que forma la piel en las yemas de tus dedos. Ahora compáralo con el de los dedos de un amigo o de alguien de tu familia. Los dibujos serán distintos. De hecho, no hay siquiera dos personas en todo el mundo que tengan idéntico dibujo en las yemas de los dedos.

Dicho todavía con más claridad, tus huellas dactilares te hacen único, son sólo tuyas y de nadie más, no se pueden confundir con las de otra persona.

Este hecho resulta una ayuda impresionante para los policías que están investigando delitos, quienes cuentan con bastantes sistemas para hallar las huellas dactilares que se dejan en la escena del crimen.

La policía dispone de archivos con las huellas dactilares de delincuentes conocidos; además, toman las de los sospechosos. Luego las cotejan con las que se encontraron en la escena del crimen.

Si las huellas dactilares de uno de los sospechosos son iguales a las que han encontrado, quiere decir que esa persona las ha dejado allí sin duda alguna. Ésta es una pista importante, y por sí sola o unida a otras, ayuda a que el caso pueda resolverse con bastante rapidez.

¿Por qué un metro es un metro?

A un metro se le llama así por la palabra griega *metron*, que significa medida. No existía hasta 1791, año en que fue tomada como una nueva medida de distancia en Francia. Hasta esa fecha, se habían usado todo tipo de pesos y medidas de poca utilidad general.

Tuvo que venir la Revolución Francesa para apartar esas inservibles medidas y aportar una solución nueva e inteligente. El gobierno que tomó el poder después de la Revolución quería un sistema que fuera exacto y pudiera ser usado por todos. Se encargó a una docena de científicos relevantes que aportaran una solución y ellos propusieron el metro.

La decisión consistió en que un metro fuera igual a una diezmillonésima parte del cuadrante de la longitud total alrededor del mundo, siguiendo una línea imaginaria desde el Polo Norte al Ecuador pasando por París. Para facilitar la multiplicación y la división, además aportaron la idea de basar la nueva unidad de medida sobre el número diez.

Al mismo tiempo, se introdujo el gramo para sustituir a las unidades de peso antiguas. El litro se convirtió en la nueva medida para líquidos.

El éxito de esta decisión ha sido claro. En doscientos años, el sistema métrico decimal se ha extendido por todo el mundo. Es el sistema estándar de medida en la mayor parte de oficios y profesiones, y se está utilizando cada vez más en un número creciente de países del mundo entero.

¿Cómo puede una lagartija desprenderse de su cola sin sufrir daño alguno?

Las lagartijas y los lagartos tienen una manera muy inteligente de escaparse de sus depredadores: colas de las que pueden desprenderse. Parece una broma, pero es así.

La cola de una lagartija tiene un eslabón especial muy débil. Si tiene la mala fortuna de ser capturada por la cola, este eslabón se rompe, la lagartija se escapa y el depredador se queda con un trozo corto de cola en sus fauces.

La cola vuelve a crecer hasta la longitud correcta en poco tiempo, y como la naturaleza sabía que podía romperse, la lagartija no sufre daño alguno.

Un tipo de lagarto llamado escinco todavía tiene un sistema mejor. Su cola no deja de agitarse frenéticamente cuando se separa del cuerpo, lo que puede desconcertar al depredador, que frecuentemente confunde el trozo de cola con una criatura viviente, y mientras está intentando adivinar qué es eso que se mueve, el escinco tiene todo el tiempo del mundo para escapar a todo correr.

Los animales comen plantas, pero ¿comen las plantas alguna vez animales?

Algunas plantas sí lo hacen. No comen animales grandes, por lo que podemos estar tranquilos, pero atrapan insectos y los digieren. Son los insectos los que proporcionan a estas plantas 'carnívoras' su alimento.

Una de las más famosas es la atrapamoscas. Cualquier insecto lo bastante desgraciado como para posarse sobre esta planta, activa un mecanismo de cierre automático. El insecto queda atrapado dentro; a continuación, los jugos de la planta se ponen en funcionamiento y lo disuelven.

La nepente es otra devoradora de insectos. Tiene la forma de una jarra, y su interior es tan rugoso y desigual que un insecto atrapado no puede trepar y salir de la planta. Después de muchos intentos, cae agotado al fondo, donde es digerido por los jugos de la planta.

¿Por qué las serpientes no parpadean?

Una de las cosas que más asustan de una serpiente es su mirada fija. Si alguna vez en tu vida has tenido a una serpiente mirándote fijamente, aunque sea en el zoológico, sabrás lo que quiero decir.

Para una serpiente, su mirada penetrante es una forma estupenda de asustar a sus presas. Algunos animales se quedan petrificados de miedo cuando ven sus ojos.

Pero la razón de que no parpadeen no es tan calculadora. Las serpientes no pueden hacerlo porque carecen de párpados. Ni siquiera pueden cerrar los ojos para dormirse, y tienen una mirada fija permanente que da escalofríos a la mayor parte de los demás animales.

¿Cómo pueden darte los peces una descarga eléctrica?

La contestación tonta es ¡tocándote! Pero cuando te das cuenta de que algunos de los mayores peces productores de electricidad pueden dejar a un hombre inconsciente mediante un shock eléctrico, el tema merece que profundicemos un poco más en él.

La idea de que un pez produzca electricidad tan potente es, en primer lugar, muy sorprendente. Sin embargo, varias especies tienen esta capacidad.

Algunos de los más pequeños son capaces de producir corrientes que encienden bombillas, mientras que los de mayor tamaño pueden suministrar suficiente electricidad para arrancar motores eléctricos y mantenerlos en funcionamiento durante unos minutos antes de cansarse.

Unos peces cuentan con órganos generadores de electricidad en la cabeza. Otros los tienen a ambos lados de sus colas, hasta donde llegan nervios procedentes del cerebro o la médula espinal.

En cualquier caso, las partes del pez productoras de electricidad son en realidad unos músculos modificados que resultan un arma muy útil. Los enemigos pueden ser ahuyentados con una descarga eléctrica rápida.

Cuando la misma descarga se utiliza para paralizar a peces pequeños, el pez eléctrico ya no tiene necesidad de seguir buscando la cena.

¿Por qué parece que los objetos rectos se doblan en el agua?

Las apariencias pueden ser a veces engañosas. Este sencillo experimento es un buen ejemplo. Introduce un lapicero en un vaso de agua y observarás que parece doblarse. Sácalo del agua y comprobarás que, por supuesto, sigue perfectamente recto. Pero si lo metes nuevamente en el agua, se dobla. ¿Qué está pasando?

Científicamente, al proceso se le denomina *refracción*. La refracción es producida por un cambio en la velocidad de la luz a través de distintas sustancias. La luz viaja más lentamente a través del agua que a través del aire. Por esa causa, cambia ligeramente de dirección. Así los objetos que, como el lápiz, están parte en el aire y parte en el agua, parecen doblarse.

La refracción también nos hace fallar cuando queremos atrapar algún objeto bajo el agua. Nuevamente es el efecto de 'inclinación' de luz el que parece ocasionar nuestro fracaso. Los objetos parecen estar ligeramente a un lado de donde en realidad están, por lo que nosotros apuntamos a donde parecen estar y nos desviamos un poco.

¿Por qué cantamos 'do, re, mi, fa, sol, la, si, do'?

La mayor parte de las notas musicales se remontan a las lecciones de música que se impartían hace novecientos años. El profesor más famoso de esa época era un italiano llamado Guido D'Arezzo o Aretino. En esos tiempos la música contaba con una escala de seis notas. Una composición religiosa de la época estaba basada en esa escala. Por ello, Guido decidió dar nombre a las seis notas echando mano de las sílabas en las que caían dichas notas.

La canción se interpretaba en latín, por lo que las sílabas proceden de este idioma.

En un primer momento las seis notas fueron bautizadas con los nombres de *ut, re, mi, fa, sol* y *la,* justo las que Guido y sus alumnos usaron.

No cambiaron durante quinientos años. En el siglo XVI se añadió *si.* Un siglo después *ut* cambió a *do.* Finalmente, sólo en el Reino Unido *si* fue reemplazado por *ti.*

¿Por qué está la Luna llena de cráteres?

Las fotografías de la superficie de la Luna muestran que está salpicada de formas redondas y hundidas a las que se conoce con el nombre de cráteres. Sigue siendo un misterio qué proceso o fenómeno las originó. Los hombres han llegado a la Luna en varias ocasiones y se han enviado muchos satélites para estudiarla.

Sin embargo, los científicos aún no han llegado a una teoría segura acerca de la causa de los cráteres. La Luna, a diferencia de la Tierra, carece de atmósfera, lo cual facilita el que los meteoritos se estrellen contra su superficie. Por el contrario, los meteoritos que entran en la atmósfera terrestre, en muchas ocasiones se queman al contacto con ella. Parece, entonces, que una probable causa de los cráteres lunares pueda ser el impacto de los meteoritos.

Muchos cráteres son gigantescos. Algunos llegan a medir 150 kilómetros de diámetro. Otros son tan pequeños que no se distinguen bien desde la Tierra. Por esto, otra teoría es que los cráteres se formaron a causa de actividad volcánica que la Luna albergaba en un tiempo.

Lo más probable es que tanto los meteoritos como las erupciones volcánicas tuvieran que ver en la formación de los cráteres, pero todavía no tenemos seguridad absoluta sobre ello.

¿Por qué los desiertos más calurosos de la Tierra tienen escarcha por las noches?

La respuesta de un listillo podría ser 'porque hace mucho frío por las noches'. Pero, ¿por qué en un lugar en el que durante el día hace tanto calor, como por ejemplo, en el desierto del Sahara, hace tantísimo frío por la noche? Aunque parezca extraño, ambos fenómenos meteorológicos están relacionados.

No hay nubes sobre el Sahara, por lo tanto, no hay nada que actúe como escudo contra el fiero sol que baña el desierto durante el día. Las temperaturas pueden llegar hasta unos niveles jamás alcanzados antes, de 58 °C a la sombra.

Una vez que el sol se pone, ocurre justo lo contrario. Puesto que sigue sin haber nubes, el calor sofocante del día rápidamente se disipa, al no haber nada que lo mantenga al nivel del suelo. Cuando el aire caliente ha desaparecido, es reemplazado por el aire frío.

La temperatura, en consecuencia, desciende bruscamente, y a veces se forma escarcha en el suelo antes de que el sol vuelva a salir a la mañana siguiente.

¿Cuál de los alfabetos del mundo tiene setenta y dos letras y cuál sólo once?

Hay sesenta y cinco alfabetos en el mundo. Unos cuentan con una cantidad notable de letras, otros con muy pocas. El nuestro está más o menos en el medio, con un total de veintinueve. El alfabeto ruso tiene cuarenta y una letras; pero el líder, sin duda alguna, es el alfabeto camboyano, que cuenta con un número impresionante de setenta y dos letras.

Al otro extremo de la lista se encuentra el alfabeto del idioma rotokas, hablado en la Isla de Bouganville, en el Pacífico sur, que se las arregla con once letras solamente.

¿Fueron los canarios los que dieron el nombre a las islas o éstas a los pájaros?

Parece que las islas Canarias recibieron su nombre de la palabra latina *can*, que quiere decir perro, pues parece ser que tenían fama por lo grandes y fuertes que eran los perros de allí. Los pájaros cantarines y amarillos, que también vivían en las islas, fueron llamados canarios por el nombre de las islas y no al revés.

¿Por qué las frutas de algunas plantas tienen hueso?

Las ciruelas, las cerezas, los albaricoques y los melocotones se encuentran entre las frutas más comunes que tienen hueso. A nosotros, lo que nos llama la atención es la carne jugosa y blanda que nos comemos, por eso tenemos tendencia a no pensar ni un segundo en cómo se formó la fruta.

Pero observa un melocotón cortado y verás que tiene tres capas diferenciadas. La capa exterior está formada por la piel, la capa interna es la pulpa que nos comemos, y dentro de ésta se encuentra el hueso, justo en el centro de la fruta. El hueso es duro, y nuestra costumbre habitual es tirarlo a la basura sin más.

Sin embargo, para el melocotón es la parte más importante de la fruta, ya que el hueso alberga dentro de su dura corteza protectora la semilla, a la que cuida con esmero porque de ella podría nacer otro melocotonero.

¿Por qué cantan los pájaros?

Cuando se oye cantar con más frecuencia a los pájaros es que la primavera se acerca. Algunos, como el reyezuelo, cantan durante todo el año, sin embargo, a la mayoría de ellos es la llegada de la primavera la que les hace lanzarse a probar la voz.

En la mayor parte de los casos, son los pájaros macho los que cantan, pero no todos interpretan canciones melodiosas; así, tenemos al pájaro carpintero, que golpea rítmicamente contra la madera como su 'manera peculiar de cantar'. El agachadizo produce un ruido de tamborileo con su cola mientras vuela. Otros pájaros sólo saben lanzar graznidos; pero en el mundo de los pájaros son considerados igual que las canciones y los producen por razones similares.

Saber atraer a una compañera es muy importante. Por eso, los pájaros macho compiten entre sí cantando lo mejor que pueden para llamar a las hembras. Además, las canciones de los pájaros también transmiten avisos. 'Márchate, ésta es mi zona' podría ser el serio mensaje de una dulce melodía que escuchamos en una mañana de primavera.

Los pájaros macho necesitan proteger su territorio y su comida, si quieren conseguir una compañera. Así pues, las canciones pueden ser, tanto un saludo para las hembras como la versión musical de un puñetazo en la nariz con destino a cualquier pájaro macho que intente apropiarse por la fuerza del territorio del cantante.

¿De qué manera los incendios forestales pueden ser buenos para los bosques?

Los incendios forestales causan tanta destrucción que parece imposible que puedan servir para cualquier otra cosa que para dañar a los bosques. En bosques cuidados por expertos forestales, lo anterior es una verdad evidente.

Los expertos quitan de enmedio los árboles innecesarios, recogen las ramas muertas del suelo y desbrozan la maleza que pudieran entorpecer el crecimiento de los árboles. Además, plantan árboles nuevos, que se convertirán en los futuros árboles del bosque. El

fuego en estos bosques puede tener consecuencias desastrosas.

En zonas más salvajes, las cosas son diferentes. La naturaleza tiene que cuidar del bosque ella sola. En estas circunstancias, el fuego fortuito, causado por un rayo, por ejemplo, quema la leña inservible y la maleza, dejando el suelo preparado para que crezcan en él nuevos árboles. Se ha descubierto que hay árboles que sólo sueltan la semilla a altísimas temperaturas. Es una realidad que estos árboles necesitan el calor de un fuego antes de dejar caer las semillas que harán brotar nuevos árboles.

¿Por qué tienen las estrellas distintos colores?

Todas las estrellas parecen tener el mismo color, ¿no? Eso es así si las miras a simple vista, pero con un telescopio las cosas cambian. Cuando ves las estrellas a través de un cristal de aumento, te das cuenta de que tienen distinto color unas de otras.

La temperatura de la superficie controla el color de una estrella. La estrella que mejor conocemos es el Sol, que tiene una temperatura en superficie de aproximadamente 5.000 °C y un color entre amarillo y blanco.

Existen muchas estrellas en el universo infinitamente más calientes que el Sol. Las más calientes tienen el doble de temperatura en superficie y son azules. Sorprendentemente, las estrellas de color rojo son las más frías, al tener una temperatura de alrededor de 3.000 °C. Conocedores de este hecho, los científicos pueden calcular la temperatura en superficie de las estrellas mediante una precisa medición de su color.

¿Por qué nos sentimos sofocados cuando la temperatura ambiente es la misma que la de nuestro cuerpo?

Si te tomas la temperatura cuando estás sano y las condiciones son normales, el termómetro marca unos 37 °C, que es la temperatura que consideramos normal.

Cuando la temperatura ambiente llega a ese nivel, no nos sentimos como si todo fuera normal; todo lo contrario, tenemos un calor excesivo y estamos incómodos, por lo que intentamos encontrar algún sitio fresco. Si no estuviéramos vestidos y nos sentáramos a descansar, en un relajamiento total, probablemente nos sentiríamos bien con esa temperatura. Pero la vida moderna no va por esos derroteros.

Si entramos en un espacio cerrado que esté a temperatura alta, el calor irradiado por nuestros cuerpos calienta gradualmente el aire circundante, lo que nos da una sensación real de mayor calor. De la misma manera, si realizamos alguna actividad física, nuestro cuerpo comienza a irradiar calor a nuestro alrededor.

Cuando llevamos ropa, ésta evita que irradiemos nuestro calor con la eficacia que lo haríamos sin ella. Como consecuencia, nos sentimos acalorados. Ésta es la razón por la que normalmente nos sentimos más cómodos en temperaturas ambiente por debajo de la temperatura de nuestro cuerpo.

¿Por qué luce una luciérnaga?

La luciérnaga no es en realidad una clase de gusano, sino un tipo de escarabajo que produce luz. Para ser más exactos, habría que decir que sólo las hembras de esta especie lo hacen: despiden una luz intensa y de color verdoso cuando están buscando compañero. La emiten y dejan de emitirla a voluntad, como si tuvieran un interruptor.

¿De qué manera nos informan las hortensias del tipo de terreno que hay en nuestro jardín?

Las hortensias son plantas con flores grandes y vistosas que pueden tener distintos colores que van del rojo al azul. El color depende del tipo de terreno sobre el que estén creciendo. Si el suelo es rico en sustancias alcalinas, las hortensias serán rosas, rojas o blancas, según el tipo de hortensia que se esté cultivando.

Las hortensias que crecen en terrenos ácidos producen flores azules o de color malva.

Sin embargo, los jardineros pueden engañarnos si quieren. Las hortensias rosas pueden convertirse en hortensias de flores azules sólo con aplicar una sustancia química llamada sulfato de aluminio cuando llega el otoño.

¿Cómo es posible que un saltamontes oiga con las patas?

Los saltamontes no tienen oídos como nosotros, pero el sonido es muy importante en sus vidas. De hecho, es el medio principal que tienen de encontrar un compañero del otro sexo. Los experimentos han demostrado que los saltamontes hembra no hacen nada de caso a un saltamontes macho escondido en una jarra de cristal.

Aunque le pueden ver, no le pueden oír. Sin embargo, cuando un micrófono transporta el sonido de un saltamontes macho a un altavoz, los saltamontes hembra se acercan a él ansiosamente.

En vez de oídos, los saltamontes cuentan con receptores de sonido en cada una de las patas delanteras. Estos receptores son como tambores. Cada uno consta de una membrana muy tirante alrededor de la cual hay un anillo de sustancia callosa. Las membranas recogen las ondas sonoras procedentes de los insectos circundantes y las envían al sistema nervioso del saltamontes donde son 'descodificadas'.

¿Qué criatura tiene los ojos casi el doble de grandes que un balón de fútbol?

Imagínate un ojo así. Este ojo del que hablamos es una vez y cuarto mayor en diámetro que un LP. Mide 43 centímetros. ¿Alguna idea sobre el animal? ¿Un elefante? ¿Una ballena? No, es el ojo de un calamar gigante del Atlántico.

Supongo que no te sorprenderá saber que es el ojo mayor que jamás ha existido.

¿Cuál es la oración más corta que usa todas las letras del alfabeto?

Inténtalo. A ver si eres capaz de escribir una oración corta con todas las letras de la A a la Z.

Una de las más utilizadas es: 'David Caña exige plazo fijo. Embarque hoy truchas New York', que tiene cuarenta y ocho letras. Tirando del idioma ¿se podría conseguir una más corta? Inténtalo.

¿Por qué las distancias espaciales se miden en años luz?

El universo es tan impresionantemente grande que es difícil imaginarse las distancias en él. Intentar medirlas en kilómetros sería casi estúpido, ya que los números serían increíblemente largos. En lugar de en kilómetros, las distancias del universo se miden en años luz.

Un año luz es la distancia que la luz recorre en un año. Puesto que la luz se desplaza a 299.792,5 kilómetros por segundo, en un año recorre una cifra impresionante de 9.460.000 millones de kilómetros. Esto es lo que representa un año luz.

Para tener una idea de por qué se hace necesario utilizar esa medida, piensa en los siguientes datos: la luz tarda 75.000 años luz en llegar a la tierra desde la estrella más alejada de la Vía Láctea. La luz de la estrella más alejada que podemòs ver a simple vista tarda todavía más. Tenemos que esperar 2.200.000 años a que la luz nos llegue desde esa otra punta del universo.

Hablando de planetas más cercanos a nosotros, la luz tarda menos de ocho minutos y medio en llegarnos desde el Sol. La Luna está todavía más cercana: la luz reflejada por ella llega a la Tierra en sólo un segundo y cuarto.

Ciertamente el universo es un lugar grande, ¿eh?

¿Por qué con frecuencia se sirve el pescado con limón?

No es sólo por dar gusto al pescado. Hubo un tiempo en que se pensaba que el zumo de limón era capaz de disolver las espinas de los peces. Por eso, la gente solía tomarse un trozo de limón cuando comía pescado, por si acaso se les clavaba una espina en la garganta. El hábito ha durado, aunque ahora todos saben que el zumo de limón no sirve de gran cosa si una espina de pescado se va por el sitio indebido.

¿En qué zona de tu cuerpo está la cuarta parte de todos tus huesos?

Un adulto tiene 206 huesos en su cuerpo. La cuarta parte se agrupa en los pies y los tobillos. Cada pie y su tobillo tiene veintiséis huesos, sumando cincuenta y dos entre los dos.

¿En qué lugar del mundo es posible contemplar el Sol naciendo por encima del océano Pacífico y ocultándose sobre el Atlántico?

El Sol nace por el este y se pone por el oeste. No creo que nadie opine lo contrario. Si miramos un mapa, comprobamos que, si se sigue la dirección del Sol de este a oeste, el Pacífico está al oeste del Atlántico. En ese caso, ¿cómo se puede ver el Sol elevarse sobre el Pacífico y esconderse tras el Atlántico?

Pues sí se puede, en Panamá, el país que está situado en la parte más estrecha de América Central, justo donde se une a Sudamérica.

Panamá tiene forma de 'S' acostada. Por esto, la tierra se curva siguiendo un golfo que hay en el océano Pacífico al sur y siguiendo un golfo en el Atlántico al norte. Así, en el amanecer puedes ir a la costa sur y contemplar el Sol naciendo sobre el Pacífico. Al atardecer, sólo tienes que cruzar 80 kilómetros en dirección norte para verlo ocultarse sobre el Atlántico.

¿Por qué se les llama maratones a las maratones?

Las maratones populares son tremendamente frecuentes, aunque sólo Dios sabe por qué. Por todo el mundo millones de personas toman parte en estas carreras, recorriendo 42 kilómetros. Los más rápidos tardan más de dos horas, mientras que muchos otros entran exhaustos en la meta horas más tarde.

Lo único que las maratones de hoy siguen teniendo en común con la maratón original es la distancia. La primera maratón no fue una competición, pues sólo la corrió un corredor, que al final cayo muerto. Esto ocurrió en el año 490 antes de Cristo.

En ese año, los griegos ganaron una victoria vital contra los ejércitos invasores de Persia. La batalla se peleó en las llanuras de Maratón, a unos 40 kilómetros al norte de Atenas. La noticia de la victoria fue llevada por un mensajero, quien recorrió la distancia hasta Atenas corriendo, antes de caer muerto.

Cada maratón que se ha corrido desde entonces, de alguna manera ha conmemorado esta gran hazaña del mensajero... y de sus pies alados.

¿Cuál es el único alimento hecho por los insectos que comemos los humanos?

Existen más de un millón de especies de insectos en el mundo, pero sólo hay una cosa que hacen y que nos comemos.

¿Eres capaz de adivinar qué es?

¡La miel!

¿En qué momento se convierte una tormenta en un huracán?

Algunos quizás contestarían: 'cuando sale volando el tejado de tu casa'. Los meteorólogos no opinan igual. La palabra *huracán* es una de las que se utilizan para denominar a las tormentas muy violentas, que surgen en zonas tropicales templadas y se convierten en tormentas gigantescas con nubes y lluvia. Los huracanes pueden llegar empujados por vientos que alcanzan una velocidad de 300 kilómetros por hora y causan terribles destrozos.

El sistema que se utiliza para medir la velocidad del viento es la escala de Beaufort. El huracán está en la parte más alta de la escala y también se le llama fuerza 12. Cuando el viento llega a 122 kilómetros por hora, entonces una fuerte tormenta de fuerza 11 se convierte en un huracán de fuerza 12.

¿Cuál es la capital del mundo que está a una mayor altitud?

Se trata de La Paz, capital administrativa de Bolivia, en Sudamérica, que está situada a una altura de 3.631 m. por encima del nivel del mar.

¿Por qué se dice de ciertas personas que tienen una vista de águila?

Porque deben tener muy buena vista, como las águilas. Un águila real, por ejemplo, es capaz de localizar algo tan pequeño como un ratón a una distancia de más de 3 kilómetros.

¿Por qué son las vitaminas tan necesarias para todos nosotros?

La ciencia médica comenzó a comprender la importancia de las vitaminas en este siglo, a pesar de que los seres humanos las han necesitado y las han ingerido desde que aparecieron por primera vez sobre la Tierra hace millones de años.

Se sabe que necesitamos más de veinte vitaminas. Algunas nos ayudan a crecer y a desarrollarnos, otras nos protegen contra enfermedades y dolencias. Pero no podemos fabricarlas todas en nuestros propios cuerpos, por lo que nos vemos obligados a obtenerlas de los alimentos que comemos. Sólo precisamos pequeñas cantidades de vitaminas al día, pero son esas minúsculas cantidades las que resultan vitales para mantenernos sanos.

Uno de los primeros descubrimientos en el campo de las vitaminas tuvo como escenario los viajes marítimos. Los marineros no podían comer frutas y verduras frescas mientras permanecían alejados de la tierra durante largos períodos. Después de unas semanas empezaban a enfermar del mal conocido como escorbuto.

Hace trescientos años, algunos barcos empezaron a llevar en sus largos viajes zumo de naranja y de limón. La tripulación lo bebía todos los días y muy pocos marinos padecían escorbuto. Obviamente, el zumo de las frutas les sentaba bien. Ahora sabemos que el escorbuto es causado por deficiencia de vitamina C, por eso la fruta (especialmente las naranjas y los limones), y la verdura son tan buenas para la salud.

Otros descubrimientos en el tema de las vitaminas se fueron sucediendo más tarde, y en nuestros días ya sabemos que, si consumimos una dieta alimenticia variada, estaremos tomando la cantidad diaria de vitaminas necesaria para mantenernos en forma.

¿Cómo consiguen los científicos espaciales que los cohetes que lanzan lleguen a la Luna?

Quizá parezca una bobada, pero imagínate por un momento qué ocurriría si un cohete que se hubiera lanzado en dirección a la Luna fallara en su objetivo. La Luna ciertamente es bastante grande, pero el espacio también lo es. Un error así podría suceder con cierta facilidad si no se controlara cuidadosamente la dirección de la aeronave. Por eso, cada envío de un cohete a la Luna tiene que ser planificado y calculado durante meses.

El cohete ha de ser programado de manera que, casi inmediatamente después del despegue, alcance una velocidad de 42.000 kilómetros por hora, que es la velocidad necesaria para salirse del alcance de la fuerza de gravedad de la Tierra. Después, tiene que ser conducido con cuidado para que, cuando llegue a la Luna sólo esté desplazándose a una velocidad de 1.250 kilómetros por hora.

Es evidente que mientras un cohete se dirige a la Luna, ésta no permanece en el mismo sitio. Al contrario, la Luna está girando alrededor de la Tierra a una velocidad media de 3.836 kilómetros por hora. Además, para complicar más las cosas, no sigue un camino fijo en sus evoluciones. La distancia entre la Tierra y la Luna puede variar enormemente: hasta una cifra de 52.800 kilómetros.

Los controladores de vuelo del cohete tienen que calcular dónde va a estar la Luna mientras dure el vuelo, para estar completamente seguros de que el cohete llegará al sitio correcto en el momento adecuado.

Hay otro factor que ha de ser tomado en consideración: la fuerza de la gravedad de la Luna. Mientras más se acerca el cohete a la Luna, en mayor medida es afectado por este tirón de la gravedad lunar. Por ello, en los últimos 3.000 kilómetros, los científicos tienen que vigilar la velocidad del cohete con sumo cuidado.

Así pues, puedes comprobar que el control de la velocidad y de las coordenadas de cualquier nave espacial es todo menos fácil. La velocidad sólo tiene que pasarse o quedarse corta en 2 kilómetros por hora para que no acierte a llegar a la Luna. Un grado de desviación en su trayecto podría afectar negativamente hasta siete horas el tiempo de alunizaje.

¿Cuál es la diferencia oficial entre andar y correr?

La diferencia es de importancia vital en el deporte de la marcha. La mayoría de nosotros andamos a un paso cómodo para nosotros y no somos conscientes de lo que nuestro cuerpo hace. Los participantes en una marcha deben tener mucho más cuidado.

Según las reglas internacionales, hay que mantener un contacto ininterrumpido con el suelo, es decir, el pie que da el paso debe tocar el suelo antes de que el pie de atrás deje el suelo. Además hay otra regla según la cual en cada paso, cuando un pie está en contacto con el suelo, la pierna tiene que estar totalmente recta. Dicho de otra manera, no se puede doblar la rodilla.

Mira con atención a los participantes en una marcha y verás que mantienen su velocidad utilizando al máximo la movilidad de sus caderas. Quizá no anden como lo hacemos nosotros por la calle, pero lo cierto es que van a un paso mucho más rápido.

¿Por qué a veces los cielos son de color rojo?

El cielo normalmente es de color azul, siempre que no haya nubes en medio. Pero justo después del amanecer y antes del anochecer, el color del cielo cambia hasta ofrecer una mezcla impresionante de rojizos, anaranjados y rosáceos.

El Sol está muy bajo en el cielo cuando esto ocurre. Las ondas de luz azul, que son cortas, son esparcidas por el polvo presente en la atmósfera, de manera que en esos momentos del día las ondas de luz roja y naranja, que son más largas, nos llegan mejor y convierten el cielo en un cúmulo de colores sorprendentemente bellos.

¿Pueden los pájaros volar hacia atrás?

Parece absurdo preguntarse esto cuando al volar hacia adelante lo hacen de manera tan perfecta. Pero hay una especie de pájaro que sí puede hacerlo: el colibrí.

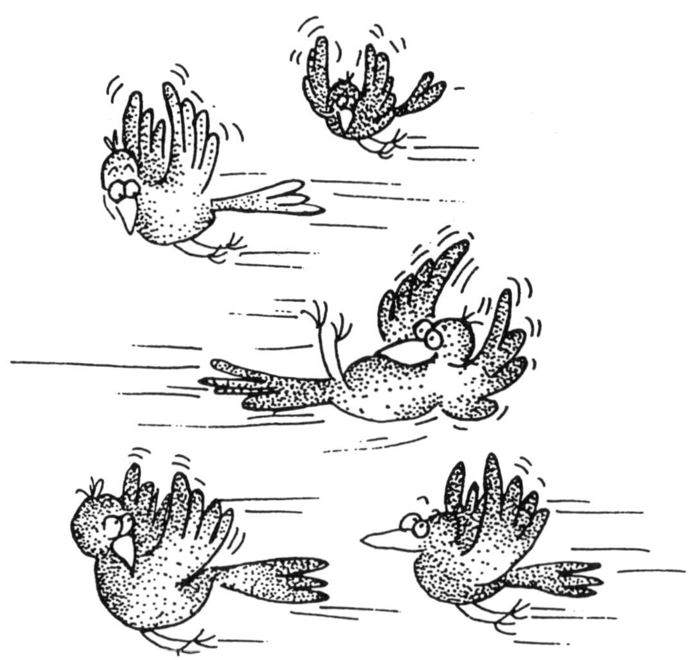

Los colibríes son unos pájaros microscópicos. El colibrí abeja, procedente de Cuba, es el pájaro más pequeño del mundo; desde el pico a la punta de la cola mide solamente 57 milímetros y pesa 1,6 gramos.

Estos pequeños pájaros agitan sus alas a una velocidad fenomenal; tanto que pueden mantenerse en el aire como un helicóptero, mientras beben néctar de una flor. Además, la velocidad de sus alas les permite volar hacia atrás.

¿Cómo producen luz los peces de las profundidades del mar?

En lo más profundo de los mares está totalmente oscuro, es imposible ver algo sin luz artificial, dado que la luz solar no puede llegar a una profundidad de más de 460 metros bajo la superficie. Esto podría ser un serio problema para los peces que viven en esas profundidades, de no tener luz propia.

Ciertos peces, como el rape, se sirven de su luz para capturar a sus presas. El pez cola de rata emite repentinamente un haz de luz intensa que ciega a su enemigo mientras él se escapa rápidamente. Otras especies utilizan su luz sólo para mantenerse en contacto con los amigos y encontrar una pareja con quien aparearse. Estos tienen 'luces de identificación', como los barcos.

La luz que todos estos peces producen es distinta a la que pueda encontrarse en la tierra: es fría, mientras que casi todos los demás tipos de luz existentes producen calor, lo que supone un enorme ahorro de energía.

Ciertos peces la consiguen a base de mezclar sustancias químicas con parte del oxígeno de su sangre. El encuentro tiene lugar en unas glándulas que estos peces tienen bajo la piel. Las sustancias químicas son quemadas mediante una combustión y se produce una luz en la glándula que, a su vez, se convierte en una especie de lámpara.

En otros peces marinos son bacterias las que producen la luz. Estas bacterias viven de los tejidos de la piel del pez, que éste continuamente renueva. Sin embargo, las bacterias ayudan al pez produciendo las sustancias que brillan con intensidad en dicha piel.

¿Qué tipo de objetos nos llegan a la Tierra desde el espacio exterior?

Tenemos suerte de no ser bombardeados más de lo que en realidad lo somos. Fíjate en la superficie de la Luna. La Tierra podría tener esa apariencia de haber sido vapuleada si no fuera por la protección de la atmósfera. Claro que no todos los cráteres de la Luna han sido causados por objetos que se han estrellado contra su superficie, pero una impresionante cantidad sí lo ha sido.

Gracias a nuestra atmósfera, la mayor parte de los objetos que atraviesan el espacio en nuestra dirección arden en ella antes de llegarnos. Pero de vez en cuando, los más grandes la cruzan y se nota su llegada. Los astrónomos ofrecen las siguientes cifras sobre el tipo de objetos que llegan a la atmósfera:

polvo espacial	más de un millón de toneladas se filtra a través de la atmósfera terrestre cada año
meteoritos visibles por telescopio (que arden al contacto con la atmósfera)	más de 1.000 millones cada día
meteoritos visibles sin necesidad de aparatos (que arden al contacto con la atmósfera)	más de 500.000 cada día
pequeños meteoritos de unos 4,5 kilos (apenas queda nada cuando llegan al suelo)	tres o cuatro cada día, pero llegan de manera irregular
meteoritos de unas 5 toneladas (el meteorito llega al suelo con sólo 450 kilogramos)	uno cada mes
meteoritos de unas 50 toneladas	uno cada 30 años
meteoritos de unas 250 toneladas	uno cada 150 años
meteoritos de unas 50.000 toneladas	uno cada 100.000 años
asteroides de varios kilómetros de diámetro	uno cada 1 a 50 millones de años

¿Pueden moverse las plantas?

Aunque parezca impensable, sí pueden. Algunas especies primitivas que viven en el agua cuentan con unos minúsculos tentáculos que agitan a modo de hélices para desplazarse por el agua. Cuando las ves, no dirías que son plantas, sino más bien algún tipo de animal.

Ahora bien, las plantas 'normales' también están en movimiento permanentemente, sólo que lo hacen con enorme lentitud.

Las raíces se hunden en la tierra en busca de humedad. Los zarcillos se alargan buscando algo donde agarrarse y por donde trepar. Cuando encuentran un apoyo, rápidamente se enroscan a su alrededor y quedan fuertemente sujetas.

El girasol, como su nombre indica, sigue al Sol en su recorrido durante el día. Y otras flores, como la margarita, abren sus pétalos por la mañana, cuando el Sol les da de lleno, y los cierran al final del día, cuando la luz se desvanece.

¿Qué pájaro ha llegado a dar media vuelta al mundo volando?

Muchos pájaros emigran ante el cambio de estación, pero ninguno llega a recorrer la distancia que recorre el charrán ártico. A este pájaro le encanta el frío y no le da miedo alguno alzar el vuelo desde el Ártico para volar en dirección al sur, a la Antártida. ¡Un vuelo de 32.185 kilómetros!

¿Por qué la levadura hace que el pan aumente de tamaño?

Se puede hacer pan sin levadura. De hecho, se come así en muchas partes del mundo, especialmente en Oriente Medio, y sabe muy bien. La diferencia principal entre este pan y el que nosotros estamos acostumbrados a comer es que, al no tener levadura es plano, no aumenta de tamaño.

La levadura es un conjunto de hongos microscópicos que producen minúsculas burbujas de dióxido de carbono. Cuando se mezcla levadura con la masa del pan, estas pequeñas burbujas de gas hacen que aumente de tamaño y lo que resulta son las barras de pan que compramos todos los días.

¿Qué pájaro hace nidos que pesan más de 2 toneladas?

Este récord debe ser adjudicado al águila. El águila americana de cabeza blanca ha llegado a construir nidos de 3 metros de diámetro y 16 metros de profundidad. Probablemente los han utilizado generaciones de su especie. Poco a poco, con el paso de los años, se han ido añadiendo ramitas y palitos hasta llegar a un punto en que todo el entramado del nido ha pasado de las 2 toneladas.

¿Por qué en los sellos de correos británicos no figura el nombre del país?

Gran Bretaña fue la primera nación en la que se utilizaron los sellos; por eso, sus habitantes no creyeron necesario identificar el país.

Desde entonces, los sellos no han dejado de usarse, tanto en el Reino Unido como en los demás países; pero los británicos siguen pensando que es una bobada empezar a poner de repente Reino Unido en sus sellos: la ausencia del nombre los identifica mejor.

¿Cuál es el origen del belén?

El primer nacimiento o belén surgió en Italia a mediados del siglo XIII, y se considera su inspirador a San Francisco de Asís, un santo muy popular y muy querido por su humildad y su alegría. Él fue el fundador de la orden de los franciscanos, dedicada sobre todo a servir a los más pobres.

El belén se concibió como una forma de acrecentar la piedad de la gente respecto a la fiesta de la Navidad. Desde sus primeros tiempos hasta nuestros días ha conservado su rasgo principal: el hecho de ser una representación del Nacimiento de Jesús en Belén, en la que aparecen los principales personajes que fueron protagonistas de ese momento trascendente: el Niño Jesús, la Virgen María, San José, la mula y el buey, los Reyes Magos, el ángel y las gentes que vivían en la zona: artesanos, pastores, aldeanos...

A lo largo de los siglos, los estilos y las formas de esta representación han sido de lo más variados, desde el belén viviente, realizado con personas y con animales vivos, hasta las más artísticas y bellas figuras escultóricas. Pero su sentido y su carácter representativo siguen siendo los mismos.

Los perros que ladran mucho ¿tienen luego dolor de garganta?

Los perros que ladran sin parar pueden resultar molestos. Pues bien, resulta que después sienten dolor de garganta, aunque no tan fuerte como lo tendríamos nosotros si hiciéramos el mismo esfuerzo.

Los perros poseen una garganta menos desarrollada que la nuestra, y no pueden emitir muchos sonidos distintos. Su escala sonora es menor. Por ello, aunque a los que son muy ladradores a veces se les irrita la garganta, no les sucede con la frecuencia que pudiéramos creer.

¿Por qué se les llama *frisbies* a los discos voladores?

Al parecer, el nombre procede de la fábrica de dulces 'Frisbie', en Connecticut, Estados Unidos. Los recipientes para tartas que allí se usaban volaban tan bien como ricos estaban los dulces.

Dichos recipientes eran fabricados por la empresa Wham-O, de California. Allí, uno de sus empleados se dio cuenta del potencial de vuelo que tenían, y tuvo la idea de crear un disco para jugar con similares características.

¿Qué son los *lemmings*?

Los *lemmings* son unos pequeños roedores que viven en América, el norte de Europa y Asia. Con los años han adquirido la reputación de estar un poco locos, ya que se arrojan desde los acantilados y al fondo de los ríos.

Esta muerte en masa puede parecer un suicidio a gran escala, pero no es así. Lo que sucede es que en los años en que tienen mucho alimento, se multiplican a gran velocidad. Al año siguiente, por tanto, ocurre lo contrario: no hay suficiente comida para todos, y tienen que emigrar a otros lugares en busca de alimento.

Miles de estos pequeños animales se ponen en camino formando una gran ola. En su recorrido son atacados por otros animales, pero siguen adelante, impulsados por una apremiante necesidad de hallar nuevos lugares de abastecimiento. Este impulso llega a hacerse tan dramático que muchos caen a los ríos o al mar.

Ahora puedes entender por qué la gente cree que estos animalitos ponen fin a su vida; pero resulta que sucede justo lo contrario: los que mueren están intentando encontrar alimentos para seguir vivos.

¿Por qué florecen las campanillas en lo más crudo del invierno?

No es extraño ver las florecillas blancas de esta planta asomando unos cuantos centímetros por encima del suelo en los días más fríos del invierno.

Las campanillas llevan haciendo esto desde hace millones de años, desde que aparecieron por primera vez. Pero cuando esto sucedió, no crecían en el norte de Europa, sino que se extendían por el Mediterráneo oriental y el norte de África, en donde, como sabes, los veranos son largos, calurosos y secos, y llueve en invierno y al comienzo de la primavera.

Las campanillas y otras especies de su género precisan humedad para desarrollarse; por eso se quedan ocultas bajo el suelo mientras el tiempo es seco y caluroso, viviendo gracias a los nutrientes acumulados en sus bulbos. Cuando llegan las lluvias de otoño e invierno, comienzan a asomar y a florecer, a pesar del frío.

Con el paso de los siglos, las campanillas se han extendido enormemente desde su lugar de origen, pero su modo de desarrollo no ha cambiado: siguen siendo las primeras flores que aparecen en parques y jardines.

¿De dónde proceden los sombreros llamados *panamás?*

Esta pregunta parece tener una respuesta de perogrullo, hasta que alguien te dice que no surgieron en Panamá, como todos podíamos pensar.

Este tipo de sombrero se fabricó por primera vez utilizando las hojas de una planta llamada *jipijapa,* que carece de tallo. El nombre latino de dicha planta es *Carloduvica palmata*. No suena mal del todo, ¿eh? El caso es que los que en un principio se llamaron sombreros de palmata con el tiempo derivaron hacia la denominación 'sombreros de panamá'. Pero no proceden de Panamá, sino de Ecuador y Perú.

¿Por qué está todo en movimiento en el espacio?

Quizá el cielo no parezca distinto cada noche, pero lo cierto es que las estrellas que lo iluminan están alejándose entre sí a una velocidad de cientos de miles de kilómetros por segundo. Todavía resulta más asombroso saber que llevan haciéndolo unos 15.000 millones de años, más o menos el tiempo que hace que comenzó el universo debido al *big bang* (o gran explosión).

Cuando éste tuvo lugar, el Universo se dilató y se enfrió. Debido a una energía impresionante, toda la materia se descompuso en partículas elementales. A partir de ahí surgen las galaxias, los planetas y las estrellas, que debido a la fuerza del *big bang,* después de millones de años, todavía están separándose entre sí a una velocidad increíble.

¿Cómo surgieron las nombres de los días de la semana?

En la Antigüedad, el domingo estaba considerado el primer día de la semana, y su nombre procede del latín *dies Dominicus,* (que significa 'el día del Señor'); era el día dedicado especialmente a Dios y a su culto.

Respecto a los demás nombres, también proceden del latín, ya que fueron asignados por los romanos, que se inspiraron en la Luna y los planetas para denominar los días y para ordenarlos en función de lo lejanos que, según ellos, estaban dichos planetas con respecto a la Tierra:

Luna	lunes
Marte	martes
Mercurio	miércoles
Júpiter	jueves
Venus	viernes
Saturno	sábado

¿Quiénes inventaron los fuegos artificiales?

Como en muchas otras cosas, los primeros fueron los chinos, y los inventaron a finales del siglo XI. En un principio, tenían como única finalidad la diversión. Pero más adelante hicieron uso de la pólvora para disparar flechas. También fueron los chinos los primeros en utilizar cohetes con fines militares.

ÍNDICE

Págs.

Págs.

Págs.

Págs.

Págs.

Págs.